DU MÊME AUTEUR

TERREUR DANS L'HEXAGONE. Genèse du djihad français (avec Antoine Jardin). *Gallimard, 2015.*

PASSION ARABE — PASSION FRANÇAISE, *augmenté de* PASSION EN KABYLIE. *Gallimard, 2014.*

PASSION FRANÇAISE. Les voix des cités. *Gallimard, 2014.*

PASSION ARABE. Journal, 2011-2013. *Gallimard, 2013. Repris dans « Folio actuel », n° 164, 2016.*

BANLIEUE DE LA RÉPUBLIQUE. *Gallimard, 2012.*

QUATRE-VINGT-TREIZE. *Gallimard, 2012. Repris dans « Folio actuel », n° 157, 2012.*

TERREUR ET MARTYRE. Relever le défi de civilisation. *Flammarion, 2008. Repris dans « Champs », 2009.*

DU JIHAD À LA FITNA. *Bayard, 2005.*

FITNA. Guerre au cœur de l'islam. *Gallimard, 2004. Repris dans « Folio actuel », n° 126, 2007 ; rééd. 2015.*

CHRONIQUE D'UNE GUERRE D'ORIENT (automne 2001), *suivi de* BRÈVE CHRONIQUE D'ISRAËL ET DE PALESTINE (avril-mai 2001), *2002.*

JIHAD. Expansion et déclin de l'islamisme. *Gallimard, 2000. Repris dans « Folio actuel », n° 90, nouvelle édition refondue et mise à jour, 2002 ; rééd. 2015.*

À L'OUEST D'ALLAH. *Éd. du Seuil, 1994. Repris dans « Points Seuil », 1995.*

LA REVANCHE DE DIEU. Chrétiens, juifs et musulmans à la reconquête du monde. *Éd. du Seuil, 1991. Repris dans « Points Seuil », 1992 et 2003.*

LES BANLIEUES DE L'ISLAM. Naissance d'une religion en France. *Éd. du Seuil, 1987. Repris dans « Points Seuil », 1991 ; rééd. 2014.*

LE PROPHÈTE ET PHARAON. Les mouvements islamistes dans l'Égypte contemporaine. *La Découverte, 1984. Repris dans « Folio histoire », n° 194, 2012.*

Direction d'ouvrage

AL-QAIDA DANS LE TEXTE. *PUF, 2005. Repris dans « Quadrige », 2006.*

Suite des œuvres de Gilles Kepel en fin de volume

LA FRACTURE

GILLES KEPEL

LA FRACTURE

nrf

Gallimard | France Culture

حبر العالم ، خير من دم الشهيد

(L'encre du savant est plus précieuse que le sang du martyr.)

Hadith attribué au Prophète.

Quand on lui posa la question : pourquoi tous ces meurtres, ces scandales, ces vilenies ? Liamchine répondit aussitôt : « Pour ébranler les bases de l'État, pour hâter la décomposition de la société, pour décourager tout le monde et introduire le désordre dans les esprits. Ensuite on se serait emparé de cette société chaotique, malade, désemparée, cynique et sceptique, mais aspirant à se soumettre à une idée directrice quelconque ; on aurait levé l'étendard de la révolte en s'appuyant sur le réseau des groupes de Cinq, qui auraient agi de leur côté en faisant de la propagande, et en étudiant les points faibles de l'adversaire et les moyens pratiques de le combattre. »

DOSTOÏEVSKI,
Les Démons (ou *Les Possédés*), 1871.

AU LECTEUR

Depuis les attentats djihadistes contre *Charlie Hebdo* le 7 janvier 2015 et jusqu'au massacre emblématique du 14 juillet 2016 à Nice, sur la promenade des Anglais, suivi de l'assassinat d'un prêtre octogénaire durant sa messe matinale douze jours plus tard, notre pays s'est installé graduellement dans une guerre civile larvée. Daech est parvenu à toucher la France en son talon d'Achille : la jeunesse issue de l'immigration maghrébine et sahélienne, où l'organisation a levé plus d'un millier de « soldats du califat », auxquels se sont ajoutés des Français « de souche », femmes et hommes, convertis à cet islamisme intégral.

Le projet national de la France républicaine, à travers les vicissitudes de la colonisation et des vagues migratoires successives vers l'Hexagone, reposait sur un idéal culturel et civilisationnel partagé : les populations qui s'agrégeaient à son socle, quelle que soit leur origine, leur religion, la couleur de leur peau, épousaient ses valeurs et sa langue. Comme on était grec par la palestre dans l'Athènes classique, on était français par l'école et le lycée. Les enfants d'immigrés postcoloniaux représentaient l'incarnation même de cet idéal. Daech l'a fracturé, et cela fait aujourd'hui peser un soupçon terrible sur la cohésion rêvée de la patrie.

Nous verrons comment, alors que la France venait d'être frappée par les attentats de Nice, s'est déployée, sur les plages mêmes au-dessus desquelles quatre-vingt-six personnes avaient été massacrées, la polémique — indécente à tous les sens du terme — sur le burkini. Celle-ci aura pour effet de renverser l'image internationale de la France de victime en bourreau, par son incrimination pour « islamophobie ». Nous détaillerons les processus par lesquels la lutte contre l'« islamophobie » est utilisée tout à la fois pour occulter le djihadisme et pour construire des stratégies d'hégémonie sur l'islam de France, dans un contexte fortement concurrentiel.

Par-delà l'organisation terroriste et ses ramifications, deux forces de désintégration sont à l'œuvre aujourd'hui dans la société française : d'un côté, les mouvements communautaristes, qui font prévaloir l'appartenance religieuse et ses marqueurs sur le territoire et dans l'espace public, considérant la nation comme un instrument au service d'un idéal distinct, et la qualité de Français comme la simple résultante d'un passeport et d'avantages sociaux ; de l'autre, une conception identitaire et étroite de la France, dont le fonds reste ethno-racial et xénophobe. Nous allons de Charybde en Scylla.

Le défi est immense, et il ne faut pas se cacher qu'il sera difficile à relever. N'interrogeant rien de moins que le devenir de notre société, cet épisode se situe d'ores et déjà au cœur des enjeux électoraux majeurs de 2017. Hélas, la plupart des politiciens qui battent les tréteaux pour solliciter nos suffrages appartiennent à une caste principalement intéressée à la perpétuation de ses privilèges. Leur mépris pour l'Université les a rendus sourds et aveugles à la fracture qui taraude notre pays et qu'ont pourtant mise au jour les recherches des sciences humaines depuis une décennie : ils ne liront pas ce livre, comme ils n'en lisent aucun autre, contaminés qu'ils sont par les vidéos virales et éphémères qui envahissent la Toile, gouvernés au jour le jour par l'emprise de réseaux sociaux, dont Daech a, de son côté, fait le meilleur vecteur de sa propagande.

C'est à restituer ce contexte et débrouiller son écheveau contemporain qu'ont été consacrées les chroniques radiophoniques hebdomadaires que France Culture m'a demandé de tenir entre les étés 2015 et 2016, « année terrible » au sens hugolien du terme pour notre pays. Les nombreuses réactions des auditeurs et leurs sollicitations m'ont incité à poursuivre par l'écrit ce dialogue commencé sur les ondes. Enregistrées pour la plupart à Paris, en direct, mais aussi parfois au téléphone, depuis Washington, Rome, Vienne, Athènes, et jusqu'à Abu Dhabi, Istanbul ou Jérusalem, au retour de Rabat ou de Téhéran, comme de Lunel dans l'Hérault ou de la maison d'arrêt de Villepinte, où me conduisaient enquêtes et conférences, ces chroniques ne consistent jamais en un texte lu à l'antenne. Elles ont subi, pour le passage à l'écrit, des modifications d'ordre surtout stylistique, et j'y ai ajouté quelques précisions lorsque celles-ci se justifiaient par des faits connus ultérieurement.

Je les ai fait précéder d'un prologue qui retrace l'évolution du djihadisme français et en restitue le fil rouge, depuis l'attentat contre *Charlie Hebdo* jusqu'à l'assassinat du père Jacques Hamel et à l'attaque avortée de Notre-Dame de Paris imputable au premier commando féminin djihadiste, pour tisser la trame nationale comme internationale du drame. Elles sont suivies d'un épilogue qui, par-delà l'évaluation du phénomène lui-même, interroge ses modes de diffusion, le met en perspective entre stratégies politiciennes et fractures communautaires et identitaires, soupèse ses forces et ses faiblesses, ses soutiens et ses ennemis, les métastases qu'il produit et les anticorps qu'il suscite.

La menace fatale qu'il fait peser sur la société est évaluée au regard du sursaut vital dont il peut être l'occasion, à condition d'avoir été justement diagnostiqué, sans quoi serait vaine toute thérapie. Telle est l'ambition à la fois modeste et exigeante de ce livre, comme des humanités dont il se réclame.

G. K.

PROLOGUE

L'année terrible

Du 7 au 9 janvier 2015, la France a été spectaculairement frappée par le terrorisme : carnage au siège de *Charlie Hebdo*, assassinat d'un gardien de la paix d'origine nord-africaine qualifié d'« apostat », d'une policière antillaise, tuerie des clients juifs du supermarché Hyper Cacher de la porte de Vincennes. Au cours des mois qui ont suivi, elle est entrée dans l'effarante routine de la terreur islamiste sur son propre sol, à l'instar de ce qui advient depuis des années en Afrique du Nord et au Moyen-Orient. Images d'un monde lointain, vues sur des écrans de télévision ou de téléphone portable, elles sont devenues réalité vécue, et subie, au quotidien.

Les meurtres de janvier 2015 ne composent nullement un acte isolé, comme ont voulu l'imaginer certains commentateurs, ignorants des processus qui ont lentement mûri le djihadisme d'aujourd'hui et se cachant la tête dans le sable, à la manière de l'autruche de Pline. Ils inaugurent le drame qui, avec deux cent trente-neuf morts jusqu'à l'été 2016, fait couler le sang de la nation et s'emploie méthodiquement à ravager ses symboles comme ses valeurs.

Après la liberté de la presse et la caricature française du demi-siècle passé avec l'assassinat des dessinateurs emblématiques Wolinski et Cabu, aux côtés de leurs collaborateurs plus jeunes, le 7 janvier, c'est l'intégration républicaine des musulmans portant l'uniforme qui est visée dans la foulée. Le gardien de la paix vététiste Ahmed Merabet est abattu comme l'avaient été le sous-officier Imad Ibn Ziaten et ses collègues à Toulouse, le 11 mars 2012, par le précurseur Mohamed Merah, qui avait massacré par la suite des enfants juifs et leur professeur à l'école Ozar-Hatorah de la ville. Pour des raisons identiques, Amedy Coulibaly prend en otage et tue des clients d'un supermarché Hyper Cacher le 9 janvier. Gratifié de milliers de Like sur les murs Facebook, Merah avait été pourtant qualifié à tort de « loup solitaire ».

L'instruction de cette affaire, survenue à la fin du quinquennat de Nicolas Sarkozy, n'a toujours pas donné lieu au procès attendu alors que s'achève le mandat de son successeur François Hollande. Cela en dépit — ou à cause ? — des dysfonctionnements des services de renseignements, qui, eux non plus, n'ont pas pris la mesure de l'événement fondateur de ce que l'on pourrait appeler la « révolution culturelle » du djihadisme de troisième génération : s'en remettre à des exécutants de base pour passer à l'acte terroriste dans leur environnement immédiat. L'incapacité à interpréter le signal d'alarme que représente l'affaire Merah est révélatrice de l'impréparation de la majorité de notre classe politique, droite et gauche confondues, devant le phénomène qui va devenir *crescendo* objet de fixation du pays.

L'EXIGENCE DE LUCIDITÉ

Durant le printemps qui suit les tueries de janvier 2015, alors que nos concitoyens ne sont pas informés des logiques du djihadisme par des élites dirigeantes elles-mêmes désemparées, de vaines polémiques d'intellectuels tétanisés par la culpabilité postcoloniale battent la campagne médiatique. Situant la cause du mal dans l'«islamophobie» de la société française, ils en font le ressort exclusif des grandes manifestations antiterroristes du 11 janvier, dont le mot dièse *#jesuisCharlie* devient le cri de ralliement.

Cette obsession de la dénégation, qui fait de cécité vertu, conduit depuis lors à minimiser le péril djihadiste de peur de «désespérer Molenbeek», comme les compagnons de route du parti communiste d'antan s'interdisaient de dénoncer les exactions du stalinisme de crainte de «désespérer Billancourt». Nous avons voulu leur opposer dans ces pages la lucidité à quoi s'efforce un universitaire travaillant ces enjeux depuis trois décennies, sans dramatisation, mais sans complaisance, afin de comprendre au plus près le défi mortel que pose le djihadisme à notre pays et de construire ensemble les moyens d'éliminer celui-là en guérissant celui-ci de ses maux.

C'est pareil débat, nourri de controverses, qui se prolonge dans ce livre. Il est d'autant plus essentiel pour notre nation qu'il doit être mis à la portée de tous ses citoyens, tant il est vrai, et on y reviendra, que c'est de la mobilisation de la population française dans la totalité de ses composantes que sera trouvé l'antidote au poison qui nous infecte. Ni les propos lénifiants des uns ni les hurlements des autres n'en auront raison. Seules la connaissance des faits et leur mise en perspective peuvent donner la vue d'ensemble nécessaire. À preuve, alors même que s'élèvent, au printemps 2015, incantations et dénégations, l'onde de terreur, vague après vague, continue de déferler.

À cette date, en effet, une série de trois attentats individuels, sur le modèle inauguré par Merah, prend le relais de l'attaque coordonnée de janvier. Un seul est mené jusqu'à son terme, et il est effarant : il s'agit de la première décapitation ayant lieu dans l'Hexagone, le 26 juin 2015. Après tant d'atroces vidéos de décollation d'otages par Daech en Syrie et en Irak, ce mode d'exécution recommandé par les Écritures saintes de l'islam, mais sorti de son contexte historique par les djihadistes, fait irruption dans une République qui a aboli la peine capitale.

Les réseaux sociaux négationnistes animés par Dieudonné et Alain Soral se rient de l'horreur suscitée par cet acte en mettant en ligne force vignettes macabres de la mort de Louis XVI pour rappeler que la Révolution française, fille de la Terreur, fonde nos valeurs sur la guillotine. De leur côté, les autruches de la pensée *dénégationniste* ne veulent y voir pour toute raison que les problèmes psychologiques de l'assassin, Yassin Salhi, qu'un banal conflit du travail aurait opposé à son patron — dont il expose pourtant la tête coupée entre deux slogans islamistes et envoie la photo à un correspondant en Syrie. L'intéressé profitera d'une défaillance de l'administration pénitentiaire pour mettre fin à ses jours en prison, privant ainsi la société d'un procès attendu pour élucider comment les failles d'une personnalité trouvent dans le passage à l'acte djihadiste un exutoire privilégié. Nous aurons l'occasion de méditer sur cette opportunité ratée l'année suivante lors des tueries de Nice et Saint-Étienne-du-Rouvray, qui mêlent elles aussi psychose et djihad.

Les deux autres opérations de cette première séquence d'attentats individuels survenus en 2015 voient leur réalisation avorter. Le dimanche 19 avril, l'étudiant franco-algérien Sid Ahmed Ghlam, logé dans une résidence universitaire grâce à la recommandation d'un syndicat estudiantin, se tire au sens propre une balle dans le pied avec une des armes de l'arsenal dont ses complices l'ont pourvu et est arrêté sans gloire après avoir appelé police secours et tenté en vain d'embobiner les agents. Il sera soupçonné d'avoir assassiné la veille une jeune femme qui se trouvait au mauvais endroit et d'être en contact étroit avec un des plus hauts gradés français de Daech pour attaquer, déjà, une église catholique. Le 21 août, le vendeur de téléphonie mobile et ancien trafiquant de drogue marocain Ayoub el-Khazzani, fiché terroriste en Espagne, où il a vécu, quitte la pépinière islamiste de Molenbeek pour embarquer dans un Thalys à Bruxelles. Il est maîtrisé par des passagers, notamment des militaires américains en permission, avant d'avoir pu faire usage de sa kalachnikov pour mitrailler la rame.

Ces individus font figure, chacun à sa manière, de « pieds nickelés », même si deux assassinats sont à déplorer. Ils manifestent les limites de la stratégie des manuels djihadistes contemporains, réitérée dans maintes objurgations par le porte-parole de Daech, Abu Mohamed al-Adnani, jusqu'à son élimination par un drone américain aux environs du 30 août 2016 à Al-Bab, dans la région d'Alep : multiplier les meurtres de proximité afin de semer la terreur puis la volonté de revanche dans la population du Vieux Continent, précipitant ainsi l'avènement d'une guerre civile aboutissant au triomphe du califat dans l'Europe vaincue. Ces trois djihadistes ont été hâtivement formés au passage à l'acte, mais la leçon des ratés des deux derniers sera retenue et corrigée lors des opérations suivantes, en particulier la triple séquence des attentats individuels qui endeuillent le printemps et l'été 2016.

L'étape consécutive consiste en un nouveau massacre de masse, qui frappe Saint-Denis et Paris le 13 novembre 2015, au Stade de France puis dans les cafés-trottoirs et restaurants en terrasse des Xe et

XIe arrondissements de Paris, enfin dans la salle de spectacle du Bataclan. Si la tuerie fait écho aux événements de janvier, elle démontre une plus grande efficacité morbide dans sa réalisation, mais pose la question de sa finalité : la capacité ou non d'exemplarité du terrorisme pour galvaniser, mobiliser et faire basculer les musulmans dans le soulèvement contre la société à partir des quartiers populaires enclavés, comme le veut l'idéologie djihadiste contemporaine.

Venu de Molenbeek, doté d'armes de guerre et de ceintures d'explosifs, le commando franchit sans encombre la frontière franco-belge. Plusieurs de ses membres, pourtant dûment fichés par les polices européennes, reviennent du territoire contrôlé par l'État islamique au Levant en traversant l'Union européenne, soit cachés parmi les flots de réfugiés, soit en automobile ou en avion. Les tueurs exploitent au maximum les failles du dispositif sécuritaire de l'UE et démontrent d'impressionnantes capacités de coordination et de logistique.

RÉSEAUX ET DÉFAILLANCES

Avec cent trente morts, l'attaque coordonnée du 13 novembre est le pire massacre de masse commis à ce jour sur le territoire français depuis celui d'Oradour-sur-Glane, le 10 juin 1944, et ses six cent quarante-deux victimes. Pourtant, elle reste tributaire d'une organisation en réseaux qui est porteuse de défaillances, tant dans la mise en œuvre que dans les objectifs politiques poursuivis. Contrairement à al-Qaida, où le commandement central coiffé par Oussama Ben Laden planifiait jusqu'au moindre détail une opération comme celle du 11 septembre 2001 selon une structure pyramidale, le djihadisme de troisième génération confie la réalisation des attentats à leurs exécutants. Cette stratégie, dûment explicitée par ses concepteurs dans des textes fondateurs, permet de passer sous le radar des services de sécurité de l'ennemi et de téléguider des acteurs issus du peuple, auxquels les masses musulmanes sont censées s'identifier aisément. Or le maître d'œuvre du 13 novembre, le fils d'épicier berbère marocain installé à Bruxelles Abdelhamid Abaaoud, et le noyau de sa bande sont des délinquants et repris de justice peu éduqués. Ils mêlent dans l'action terroriste la truanderie à l'idéologie, après une formation sur le terrain syrien où ils se sont repus d'assassinats d'« apostats » et autres « infidèles » et de profanations de cadavres en s'exhibant sur des vidéos insoutenables partagées sur Internet.

Pourtant, l'opération revendiquée par un communiqué de Daech lu par le converti d'origine réunionnaise et endoctriné à Toulouse Jean-Michel Clain, l'un des plus importants combattants français en Syrie, présente des déficiences techniques. L'explosif qui devait être déclenché au sein du Stade de France lors d'un match de football amical contre l'Allemagne ce soir-là, en présence du président Hollande et du ministre allemand des Affaires étrangères, n'est pas stabilisé, et les terroristes, dépourvus de billets d'entrée, sont refoulés, épargnant des centaines et peut-être des milliers de vies. La transpiration excessive d'un des membres du commando et la chaleur qu'elle engendre font sauter sa ceinture et le tuent en dehors de l'enceinte sportive.

Après les opérations de Paris et Saint-Denis, Abaaoud et ses complices survivants errent de talus d'autoroute en planque jusqu'à un squat où ils sont abattus. Entre-temps, l'un d'eux, Salah Abdeslam, a réussi à s'enfuir à Bruxelles, où il sera finalement arrêté sans résistance après une chasse à l'homme de six mois. En conséquence de cette capture, l'artificier du commando et son principal « intellectuel », Najim Laachraoui, ainsi que ses acolytes, traqués, n'ont d'autre choix que de lancer en un baroud d'horreur les attentats de l'aéroport de Bruxelles-Zaventem et de la station de métro Maelbeek, adjacente aux institutions de l'UE, le 22 mars 2016.

En s'attaquant ainsi à la Belgique, qui leur tenait pourtant lieu de sanctuaire européen par excellence, grâce à l'éparpillement des services policiers dans cet État clivé entre communautés linguistiques, ils permettent le démantèlement d'un large réseau d'appartements conspiratifs et de complicités, mettant à mal les relais entre le « califat » de Rakka-Mossoul et le Vieux Continent. Sur le plan politique, l'attentat du Stade de France est très difficilement vécu par les jeunes musulmans, alors même qu'ils devaient faire figure, dans l'esprit des djihadistes, de sympathisants potentiels. Nombre d'entre eux prennent violemment position contre une action dont ils estiment qu'elle les visait directement, les spectateurs du stade venant en grande partie de la Seine-Saint-Denis, où il est situé, un département réputé « le plus musulman de France ».

Dans des entretiens que j'ai pu mener à la maison d'arrêt de Villepinte, des prisonniers musulmans de droit commun dont des membres de la famille ou des relations de quartier assistaient au match ce soir-là n'ont pas caché leur réprobation des auteurs des attaques du 13 novembre. Une rumeur s'est même répandue que l'opération avait été montée par le Mossad israélien pour mettre en œuvre une sorte de « solution finale » des musulmans d'Europe. Le fait est que l'on n'a guère vu de Like sur les murs Facebook pour Abaaoud ou Abdeslam, contrairement à ce qui s'était produit en faveur de Merah en son temps ou des frères Kouachi et surtout de Coulibaly après les 7 et 9 janvier 2015.

Omar Omsen, principal recruteur djihadiste français grâce à son film de propagande *19 HH, L'histoire de l'humanité*, est un repris de justice sénégalais issu du quartier de l'Ariane, à Nice. Membre du Front al-Nosra, groupe rival de Daech, il donne, en mai 2016, depuis son camp de Syrie, un entretien par Skype à une chaîne de télévision française dans lequel il condamne l'opération du 13 novembre en ce qu'elle aurait porté un tort considérable à la cause islamiste. Il loue par contraste les meurtres à *Charlie Hebdo*, qui ont « vengé l'honneur du Prophète », et annonce mettre la dernière main à une vidéo en hommage aux frères Kouachi.

Les idéologues de Daech peinent à convaincre leurs coreligionnaires lorsqu'ils définissent les musulmans qu'ils assassinent soit comme des apostats, dont le sang est licite (*halal*), soit, quand il s'agit de « victimes collatérales », comme des martyrs fauchés par la volonté divine afin de hâter le triomphe de la Guerre sainte et assurés comme tels d'une place éminente au paradis. Les vidéos mises en ligne après le Bataclan donnent voix au ressentiment des djihadistes envers leurs « frères de France » qui continuent de vivre et travailler au milieu des *kouffar* (« infidèles, mécréants ») au lieu de les tuer. En dépit du nombre de victimes, le bilan de l'opération commando du 13 novembre 2015 s'avère mitigé au regard de la mobilisation attendue des masses musulmanes de France sous la bannière des djihadistes.

Sept mois plus tard, le 13 juin 2016, à Magnanville, bourgade des Yvelines, une nouvelle série de trois attentats individuels est inaugurée. Contrairement aux ratages des actions menées l'année précédente par les amateurs Ghlam, Salhi et Khazzani, celles-ci combinent meurtres spectaculaires à coût minimal et impact symbolique d'autant plus effarant que leurs instruments sont des objets triviaux de la vie quotidienne — couteaux de cuisine et camion de livraison — et non des armes à feu ou des explosifs complexes à acquérir ou à manier pour des terroristes peu entraînés.

L'ÉCONOMIE POLITIQUE
DE LA TERREUR

Dans l'économie politique de la terreur, les attentats du printemps et de l'été 2016 présentent un ratio exceptionnel de résultat, en termes de ravages physiques et moraux dans la société française, par rapport au faible investissement consenti. Ils atteignent aussi un paroxysme de cruauté jamais vu dans l'Hexagone avec les meurtres à l'arme blanche d'une mère sous les yeux de son enfant, d'un prêtre octogénaire durant sa messe, ou encore des centaines de spectateurs tués ou blessés, dont certains grièvement, écrasés sous les roues d'un camion de 19 tonnes, lors des célébrations de la fête nationale sur la promenade des Anglais.

Ils visent à corriger les défauts politiques des opérations du 13 novembre à Paris et du 22 mars à Bruxelles, qui ont eu *in fine* un faible impact mobilisateur. Ils se situent au plus près de la stratégie du terrorisme de proximité, exposée dans les premiers écrits du djihadisme de troisième génération sous la plume d'Abu Musab al-Suri dès 2005 et réitérée par Abu Mohamed al-Adnani, le principal porte-parole de Daech. Ils trouvent alors un relais particulièrement efficace à compter du printemps 2016 en la personne d'un Roannais d'ascendance algérienne âgé de vingt-neuf ans, Rachid Kassim. Cet ancien éducateur, chargé du secteur « adolescents » dans un centre social entre 2010 et

2012, a fondé un groupe de rap intitulé « L'Oranais », métathèse de « Roannais » qui traduit à sa manière son déplacement identitaire par l'inversion des syllabes. Or c'est précisément à l'occasion d'un séjour estival en Algérie, dans la région d'origine de sa famille, en 2011, qu'il bascule dans le salafisme.

Portant après son retour la barbe longue et arborant la djellaba, refusant désormais de serrer la main des femmes, il effraie jusqu'aux responsables islamiques locaux qui s'en ouvrent à la police, mais tombe sous la coupe d'un converti trentenaire, connu pour son prosélytisme. Fin 2012, il quitte définitivement Roanne pour « parfaire sa connaissance de la religion » en Égypte, où il rejoint probablement une des médersas qui préparent au djihad — dans un pays en plein bouleversement révolutionnaire, où l'autorité de l'État ne s'exerce plus sur ces institutions. Il gagne le champ de bataille levantin par la suite et réapparaît sur les réseaux sociaux à la fin de 2015, appelant au djihad lycéens et adolescents en usant de son charisme passé d'éducateur : « Je me nomme Rachid Kassim, on m'appelait L'Oranais. »

Sa page Facebook étant supprimée en conséquence, il bascule sur Telegram, la messagerie sécurisée préférée des djihadistes en l'année 2016, où il ouvre une chaîne de télévision privée, *Ansar al-Tawhid* (« les partisans de l'Unicité divine », une des autodésignations favorites des salafistes), qui comptera à l'été trois cent vingt-cinq abonnés, et dont on retrouvera des captures d'écran chez Larossi Abballa, le tueur du couple de policiers à Magnanville, le 13 juin, ainsi que chez Adel

Kermiche et Abdel-Malik Petitjean, les assassins du prêtre Jacques Hamel à Saint-Étienne-du-Rouvray, le 26 juillet, et finalement chez le commando féminin de septembre et des adolescents mesmérisés par l'ancien rappeur. Elle devient un des vecteurs les plus efficients du djihadisme de proximité qui se déploie sur le territoire français au printemps et à l'été. Kassim y distingue deux types d'actions destinées à terroriser les Français, pour les punir de payer avec leurs impôts « l'armée israélienne qui tue les Palestiniens » et les bombardements des « croisés » sur le « territoire du califat » : d'une part, les « attaques ciblées » visant des individus spécifiques, d'autre part, les « attaques de masse ». Dans les deux cas, il préconise d'utiliser les moyens du bord, couteaux de cuisine, camion précipité dans la foule ou bonbonnes de gaz. On en aura l'exacte mise en œuvre à Magnanville et à Saint-Étienne-du-Rouvray d'un côté, à Nice et dans le Ve arrondissement de Paris de l'autre.

Le 13 juin 2016 au soir, un policier et son épouse sont poignardés à mort. L'assassin, Larossi Abballa, voisin des victimes et djihadiste dûment condamné comme tel, est sorti de détention quelques mois auparavant. Dans une vidéo postée après ses meurtres, il invite à les amplifier en désignant comme cibles les surveillants de prison, « même s'ils s'appellent Mohamed », et les journalistes, dont certains nommément, ainsi qu'un universitaire et un chanteur. Grâce à l'application Facebook Live, puis aux réseaux de partage, son incitation au crime est massivement relayée.

La séquence consiste en un selfie en contre-plongée qui donne à Abballa un aspect effrayant de rappeur *gangsta* mâtiné d'islamiste chevelu comparable à ceux qui apparaissent sur les images de propagande de Daech. Il y fait allégeance au « calife » de Mossoul, Abu Bakr al-Baghdadi, à l'instar d'un Coulibaly dans son film enregistré le 8 janvier 2015, veille du massacre de l'Hyper Cacher de la porte de Vincennes. Contrairement à ce dernier, qui ânonne péniblement l'arabe, le tueur de Magnanville le maîtrise bien, justifiant et argumentant ses actes par des citations des Écritures saintes de l'islam et d'auteurs canoniques du salafisme, en attendant l'assaut des forces de police qui l'abattront et lui conféreront le statut de martyr.

Abballa avait été arrêté en 2011 pour appartenance à un groupe qui envoyait des volontaires se former au Pakistan et dont les membres s'entraînaient à l'égorgement, dans une forêt de la région parisienne, sur des lapins achetés vivants. Cet adepte de la dissimulation, ou *taqiya*, s'était déclaré « athée » à son magistrat instructeur et avait été libéré peu après son procès en 2013, le tribunal l'ayant jugé apte à la réinsertion, sans retenir contre lui ses multiples transfèrements en détention du fait de son prosélytisme. Les écoutes téléphoniques, après élargissement, sont abandonnées, car il y est surtout fait état de mariage *halal via* Internet. On découvrira ultérieurement que la jeune femme radicalisée qui lui est promise fera partie du premier commando féminin, démantelé en septembre 2016. Au lendemain du crime, le 14 juin au matin, la vidéo qui apparaît sur Facebook contient des plans horrifiques de la mère assassinée et de son enfant terrorisé accompagnés de commentaires sadiques. L'après-midi, elle est reprise par le site Internet de Daech *A'maq al-Ikhbariyya* (« du plus profond des infos »), mais ces dernières images sont censurées, comme si les « admin » djihadistes jugeaient que tant d'ignominie les rendait contre-productives, y compris pour les sympathisants les plus endurcis.

Le surlendemain, une nouvelle mise en ligne par *A'maq* coupe la scène comportant les noms de personnalités spécialement ciblées, dont la liste ne fait guère sens pour la plupart des individus concernés, notamment les journalistes femmes. Si Abballa a rédigé de son écriture le texte qu'il lit à l'écran, mêlant idéologie islamiste et fantasmes ou ressentiments privés, sa vidéo fait écho à ce qui circule sur la chaîne *Ansar al-Tawhid* de Rachid Kassim, et l'on retrouvera ultérieurement la trace de ses contacts avec les opérateurs de Daech en Syrie. La récupération du meurtre par la machine propagandiste de l'organisation ne prendra tout son sens qu'avec l'effet cumulatif induit par les trois attaques suivantes, deux « de masse », à Nice et Paris, la troisième « ciblée », à Saint-Étienne-du-Rouvray.

Un mois plus tard, à Nice, Mohamed Lahouaiej-Bouhlel, un chauffeur-livreur tunisien de trente et un ans, précipite son camion dans la foule le soir du 14 Juillet. Diagnostiqué psychotique dans son pays avant son émigration vers la Côte d'Azur, séparé d'avec sa femme pour brutalités conjugales, condamné pour violences routières, *aficionado* de salsa et adepte du nomadisme bisexuel à la manière du *baiseness* pratiqué dans les stations balnéaires de son enfance, il est inconnu des services de renseignement. Comme il n'a laissé aucune revendication, les « dénégationnistes » s'affairent à populariser la piste de la folie lorsque parvient, le surlendemain, un bref endossement par Daech de l'« opération d'écrasement [*dahass*] de Nice par un soldat de l'État islamique », en rétorsion contre les bombardements de la coalition occidentale sur le territoire du « califat ».

L'enquête révèle une intense consultation par le Tunisien des sites djihadistes dans la quinzaine précédant la tuerie, ainsi que des complicités dans la métropole azuréenne, une ville où ce milieu est particulièrement dynamique. Il reste à déterminer comment le vocabulaire graphique des vidéos de massacres en est venu à incarner, dans son obscénité même, l'aboutissement de la pulsion sadique d'un pervers et la promesse de rachat de celui-ci par le sacrifice. Dans la « djihadosphère », Lahouaiej-Bouhlel, bien que son action soit célébrée, n'est pas fêté comme un héros, à la différence de Larossi Abballa ou d'Abdel-Malik Petitjean, qui présentent des trajectoires d'adhésion au salafisme et au djihadisme plus rectilignes. L'ancien fornicateur, buveur d'alcool et mangeur de cochon a certes vu tous ses péchés effacés par le martyre dans la voie d'Allah, mais sa rédemption finale ne saurait justifier aux yeux de la propagande de Daech des comportements de déviance par rapport à la norme salafiste,

qui risqueraient d'être corrupteurs et déstabilisateurs.
Néanmoins, la mise en œuvre des attaques sur le territoire français représente un tel passage à la limite
qu'elle doit faire feu de tout bois pour trouver son
contingent d'exécutants, notamment chez des individus que des fêlures psychiques attestées rendent plus
aisément manipulables, puis des femmes et des ados.
Le décompte des décès après l'attentat de Nice
— quatre-vingt-six à la mi-septembre 2016 — est
inférieur à celui du 13 novembre 2015, mais l'effet de
sidération qu'il produit est démultiplié par la banalité
de l'instrument de mort utilisé ainsi que par la symbolique des deux cibles choisies simultanément : la fête
nationale et la promenade des Anglais. La première
cristallise la haine des djihadistes — en même temps
que l'opprobre des salafistes et autres islamistes — à
l'encontre de la France. Tous frappent d'anathème la
Révolution française, fille des Lumières, en lesquelles
ils voient l'origine de la rébellion de la raison irréli-
gieuse contre la foi, et de la laïcité exécrée.

Dans leur esprit, les célébrations du 14 Juillet représentent une fête païenne, identique à l'idolâtrie préisla-
mique que le Prophète et ses compagnons ont éradiquée
et contre laquelle l'islam s'est construit en substance.
Les Écritures saintes en fournissent exemples et citations à foison : extraites de leur contexte historique et
prises au pied de la lettre, selon la méthode salafiste
qu'adoptent les djihadistes pour les mettre en œuvre,
elles donnent une justification « sacrée » au passage à
l'acte.

Quant à la promenade des Anglais, qui fait, comme son nom l'indique, de la Côte d'Azur une destination internationale de premier plan, elle symbolise la civilisation des loisirs et de l'hédonisme, même si sa pompe d'antan s'est quelque peu décatie. À preuve, le caractère populaire du public que Lahouaiej-Bouhlel massacre, plus du tiers des victimes portant des patronymes musulmans, dont beaucoup descendues des grands ensembles du nord de la ville pour participer à la liesse sur le rivage de la Méditerranée qui les sépare du littoral nord-africain dont elles sont originaires. Le meurtrier vient lui aussi d'un de ces quartiers périphériques niçois, Saint-Roch, qui, comme l'Ariane, symbole de l'enclavement socioreligieux et fief du vidéaste Omar Omsen, ont fait irruption par la violence au cœur de la cité, anticipation métonymique de la guerre civile que l'idéologie djihadiste appelle de ses vœux. Mais alors qu'Omsen invitait, en 2012-2013, dans son film de propagande *19 HH, L'histoire de l'humanité*, ses jeunes adeptes à partir combattre au « pays de Shâm » (la Syrie), la perspective est désormais retournée. Depuis la Syrie, Rachid Kassim incite ceux qu'il baptise les « lions solitaires » à mener le djihad en France.

C'est le sens de la vidéo qu'il diffuse le 20 juillet pour se féliciter de l'attentat de Nice, célébré par un communiqué de Daech comme une « opération d'écrasement ». Depuis une place publique dans une ville de la province irakienne de Ninive, « L'Oranais-Roannais », accompagné d'un comparse francophone, invective le président français en lui montrant ce qui va bientôt advenir dans l'Hexagone : dans une scène insoutenable, les deux bourreaux, enturbannés et accoutrés de tenues militaires de camouflage, égorgent et décapitent deux prisonniers chiites agenouillés devant eux en survêtement orange, brandissant face caméra les têtes coupées en hurlant, constellés du sang de leurs victimes.

AU CŒUR DE LA FRANCE PROFONDE

Cette menace est exécutée six jours plus tard. La trilogie terroriste culmine le 26 juillet avec l'attaque de l'autre symbole fondateur de l'identité de la nation incarnée par le baptême de Clovis, l'Église catholique, dont la France historique s'est voulue la « fille aînée ». Dans leur atroce simplicité, les événements de cette matinée mettent à nu l'inscription du djihad au cœur de la France profonde. Saint-Étienne-du-Rouvray n'est pas une cité aux barres sinistres de HLM, reléguée en contrebas d'une autoroute, entre un cimetière et un incinérateur de déchets, au contraire de l'Ariane. C'est une banlieue « rurbaine » en périphérie de Rouen, où l'ancien habitat paysan se mêle aux logements ouvriers de la métropole normande. Elle a bénéficié des programmes de l'Agence nationale pour la rénovation urbaine (Anru) depuis la décennie écoulée et présente un aspect coquet. Elle compte encore un maire communiste : la commune a accueilli des usines à partir du XIXe siècle et fut une des premières municipalités « rouges » de France dès 1923, trois ans après le Congrès de Tours, qui entérina la création du PCF. Tout du long, celui-ci y a tenu la dragée haute à l'Église pour lui disputer le magistère sur la jeunesse populaire.

Dans ce milieu ouvrier, des travailleurs immigrés originaires d'Afrique du Nord sont venus s'implanter dans le cours du XXᵉ siècle et ont fait souche, s'installant d'abord en prolétaires dans des bidonvilles, puis, salariés et bénéficiant d'avantages sociaux, dans les cités HLM flambant neuves, enfin, selon leur ascension professionnelle, dans les nouveaux lotissements pavillonnaires avec leur nombreuse progéniture. C'est le cas de la famille Kermiche, kabyle d'Algérie, sédentarisée depuis trois générations, dont la plus grande partie de la fratrie, à l'exception du jeune tueur Adel, a suivi un itinéraire exemplaire, telle la sœur aînée, chirurgienne, d'autres frères et sœurs, cadres, et dont la mère elle-même a repris des études et enseigne en lycée technique.

La sociabilité communiste s'est irrémédiablement effritée avec la crise économique des années 1970 et la disparition des emplois ouvriers (Saint-Étienne-du-Rouvray a perdu près de dix mille âmes depuis lors, pour se stabiliser autour de vingt-huit mille en 2016). L'impact démographique des populations issues de l'immigration se traduit aujourd'hui par la prévalence de la jeunesse (un tiers des habitants a moins de dix-neuf ans, l'âge de l'assassin), touchée à plus de 45 % par le chômage. Le trafic de drogue y est endémique.

La paroisse a accueilli ces classes populaires musulmanes dans l'esprit de la fraternité islamo-chrétienne et de la « pastorale des migrants », alors que la municipalité communiste rechignait au projet de mosquée porté par des étudiants marocains proches de l'UOIF (Union des organisations islamiques de France), qui étaient trop nombreux pour la modeste salle de prière du foyer Sonacotra animée par les piétistes du mouvement Tabligh. L'Église a cédé pour un franc symbolique un terrain permettant d'agrandir l'emprise de la mosquée Yahia, qui a été inaugurée en 2000 et reçoit aujourd'hui jusqu'à mille sept cents fidèles le vendredi. Ses bâtiments jouxtent la chapelle moderne Sainte-Thérèse, désormais bien moins fréquentée.

C'est en revanche dans l'église ancienne, Saint-Étienne, au cœur du vieux village, où les immigrés portugais maintiennent la foi catholique, que le meurtre du père Hamel est perpétré. Ce prêtre octogénaire était très au fait de la question sociale pour avoir passé plusieurs décennies à la cure chargée de l'usine Renault de Cléon, également en Normandie, forteresse communiste encore à son époque, dont il était ressorti « épuisé » selon son entourage. Connu pour sa douceur et la chaleur de son accueil des musulmans, il dit, ce 26 juillet, sa messe matinale, bien qu'il ait pris sa retraite, à la place du ministre titulaire, un quadragénaire congolais en vacances dans son pays : l'Église de France, confrontée à la crise des vocations, a recours elle aussi aux travailleurs immigrés.

Adel Kermiche réside quartier Maurice-Thorez, à

proximité du lieu du crime. Son enfance et son adolescence ont été marquées par des perturbations psychiques graves et une scolarité interrompue. Fin 2014,
il passe les épreuves pratiques du brevet d'animateur,
sans succès, mais rien d'anormal n'est décelé dans son
attitude. Au lendemain du 7 janvier 2015, son comportement change, comme s'il trouvait soudain dans
les frères Kouachi — qui ont « vengé le Prophète » des
offenses de *Charlie Hebdo* — un modèle d'identification dans lequel se projeter. Il abandonne alors ses
anciennes fréquentations et habitudes, revêt une djellaba, se laisse pousser la barbe et tombe sous l'emprise
du milieu djihadiste virtuel.

Selon les éléments autobiographiques qu'il livrera dans
les enregistrements de sa chaîne privée sur la messagerie
Telegram l'année suivante, il élicite comme « savant »
pour le guider sur la voie de l'islam durant un an et
demi l'ouléma mauritanien Mohamed al-Hassan Ould
al-Dodo. Né en 1963, formé en Arabie saoudite, empri-
sonné dans son pays à de nombreuses reprises entre
2003 et 2005, ce *fqih* (savant religieux), qui n'a pas de
lien connu avec Daech, a surtout fourni à Kermiche le
vernis culturel salafiste dont il se targue, grâce à une
abondante production en ligne, dont une partie est traduite en français. Dans ce parcours, il a pour partenaire
et relais son ancien camarade de lycée à Saint-Étienne-
du-Rouvray Adel Bouaoun, qui gagne la Syrie en utilisant sa carte d'identité. Au sortir de la prière du vendredi
à la mosquée Yahia, il montre des vidéos de propagande
de Daech avec tant de zèle qu'il incommode les sala-

fistes locaux eux-mêmes, disciples du cheikh saoudien de même obédience Rabi' al-Madkhali.

Il tente alors sans succès dès le mois de mars de rejoindre le « califat », puis, renvoyé d'Allemagne en France, où, encore mineur, il est laissé libre, mais fiché, il en repart quelques semaines plus tard et parvient jusqu'en Turquie, *via* la Suisse. Expulsé de ce pays, et devenu majeur entre-temps, il est incarcéré à la prison de Fleury-Mérogis, la grande école du djihad français, dans la même cellule que des militants endurcis, dont un Saoudien trentenaire. Dans son chat ultérieur sur la messagerie Telegram, Kermiche expliquera : « En prison, avec mon cheikh, il m'a donné des idées. » Il est probable que sa formation en ligne d'autodidacte du salafisme a été complétée par l'orientation djihadiste acquise auprès de ses codétenus.

En mars 2016, il est relâché sur l'insistance de la magistrate antiterroriste chargée de son dossier — et contre l'appel du parquet —, compte tenu des capacités de réinsertion que celle-ci a décelées en lui et des circonstances atténuantes dues à son jeune âge, comme cela avait été le cas pour Larossi Abballa avant Magnanville. La chambre de l'instruction confirme la décision, et son inscription au fichier S — pour « Sûreté de l'État » — est ainsi effacée.

Dès sa libération, Kermiche déploie une intense activité sur Telegram. Le 11 juin, il y ouvre sa chaîne privée, par le biais de laquelle il postera pour ses quelque deux cents abonnés ce message prémonitoire, auquel a eu accès l'hebdomadaire *L'Express* (en ligne le 27 juillet) :

> — *Si tu veux aller au Shâm* [Levant] *c'est assez compliqué vu que les frontières sont fermées. Autant attaquer ici. Tu prends un couteau, tu vas dans une église, tu fais un carnage, bim ! Tu tranches deux ou trois têtes, et c'est bon, c'est fini !*

Le 20 juillet, il se rapproche de la chaîne Telegram *Ansar al-Tawhid* animée par Rachid Kassim le jour même où celui-ci diffuse la vidéo dans laquelle on le voit égorger deux prisonniers et menacer le président français dans ces termes : « Regarde bien cette scène, François Hollande, elle va bientôt arriver sur tes propres citoyens dans les rues de Paris, dans les rues de Marseille, dans les rues de Nice, dans toute la France, *inch'Allah.* » Kassim devient le coadministrateur de la chaîne d'Adel Kermiche, sur laquelle il continuera de poster des messages après la mort de ce dernier. Le contenu de certains de ses chats donne en parallèle un aperçu de sa vie privée rêvée d'adolescent tardif sur un mode strictement salafiste. On apprend ainsi qu'il a contracté sur Internet des mariages *halal* successifs avec trois jeunes « sœurs » du milieu djihadiste local, chacune répudiée dès le lendemain, une sorte de vagabondage sexuel virtuel paré des justifications de la charia. L'une d'elles, une convertie de vingt-trois ans née à Lisieux, avait déjà été promise à Larossi Abballa. Elle sera arrêtée le

8 septembre 2016, après avoir poignardé un policier lors du démantèlement du premier commando féminin. En même temps, il annonce un prochain « truc de ouf » de l'imminence duquel il préviendra ses correspondants, les incitant à donner à cet événement la plus grande diffusion.

Deux jours plus tard, il établit un contact avec son futur complice, Abdel-Malik Petitjean. Ils ne se sont jamais rencontrés, mais le dépouillement de leurs échanges téléphoniques laisse penser aux enquêteurs que Rachid Kassim manipule à distance les deux apprentis djihadistes pour en faire des « lions solitaires » voués à sidérer la France. Kermiche et Petitjean seront les exécutants de la menace contenue dans la vidéo de Kassim, mais aucun des deux ne paraît assez équipé intellectuellement pour avoir conçu l'opération dans sa totalité.

Petitjean, qui réside à Aix-les-Bains, en Savoie, parcourra plus de 700 kilomètres pour rejoindre Saint-Étienne-du-Rouvray, y planter sa tente et enregistrer avec Kermiche la désormais routinière séquence d'allégeance au « calife » de Mossoul, Abu Bakr al-Baghdadi. À l'écran, les deux conjurés se tiennent la main ; ils sont habillés à la façon des soldats de Daech tels qu'ils apparaissent dans les images de propagande, tête couverte et *battle-dress* pour Kermiche. Celui-ci lit les formules du serment dans un arabe hésitant, mais dont les phonèmes sont assez bien prononcés, signe de sa socialisation préalable dans un milieu — sans doute la prison — où il a appris la langue coranique. Ils concluent l'enregistrement en levant l'index vers le ciel, selon le rituel pieux de l'islam, et anonnent en chœur *Hamdoulillah* (Allah soit loué). La vidéo est envoyée à leur correspondant, qui la mettra en ligne après l'assassinat du père Hamel, le lendemain matin, suivant un scénario bien rodé.

Né dans les Vosges, Abdel-Malik Petitjean doit son patronyme, qui évoque Victor Hugo comme Walter Scott, à son père adoptif, ouvrier soudeur, divorcé d'avec sa mère en 2011, un facteur auquel celui-ci imputera la « radicalisation » de son fils dans des entretiens à la presse postérieurs au crime. Décrochant un baccalauréat professionnel en 2015, Petitjean exerce divers emplois d'intérim et est décrit par ses proches, les membres de sa famille recomposée, ainsi que par les fidèles et l'imam du lieu de culte qu'il fréquente assidûment à Aix-les-Bains, comme « doux », « adorable », « poli ». Durant l'hiver 2015, il consacre ses loisirs à participer à la maraude sociale musulmane « La Rosée du cœur », qui porte secours aux démunis, et, au printemps, est embauché comme bagagiste à l'aéroport local. L'enquête de gendarmerie requise pour ce travail sensible ne note aucun élément dirimant. Toutefois, sa mère et lui sont convoqués à cette époque par l'imam de la mosquée, inquiet de la « radicalisation » du jeune homme, qui « traîne avec des barbus », ce dont le père est avisé par son ex-femme.

En juin 2016, à l'insu de ses proches, Petitjean se trouve subitement en Turquie en compagnie d'une personne recherchée et fait l'objet d'un contrôle puis d'un signalement. Cela se traduit, le 29 de ce mois, par l'émission d'une fiche S le concernant, alors qu'il a déjà rejoint discrètement la France. Il enregistre une première vidéo, seul, vêtu d'un tee-shirt bon marché à larges bandes blanches et vertes ; il y formule des menaces à l'encontre de la France, puis se connecte avec Kermiche le 22 juillet grâce à Telegram et le retrouve ensuite, comme on l'a vu, pour perpétrer l'assassinat concerté.

Kermiche, assigné à résidence chez ses parents par la décision de justice qui l'a libéré de prison, quitte leur domicile le 26 juillet en début de matinée, durant ses heures légales de permission de sortie, en compagnie de son complice. Dûment muni de son bracelet électronique, il se rend à l'église Saint-Étienne. Le père Hamel dit la messe devant trois religieuses qui animent l'aide aux devoirs principalement fréquentée par des enfants musulmans du quartier et un couple de laïques octogénaires. Kermiche poignarde avec un couteau de cuisine le malheureux prêtre qu'il a fait s'agenouiller afin d'ajouter l'humiliation au supplice. Celui-ci, qui avait frôlé l'expérience de la mort en Algérie pendant son service militaire dans les années 1950, trouve la force de s'écrier « Satan, va-t'en ! Va-t'en, Satan ! » avant de succomber, tandis que son meurtrier prononce en arabe une déclaration pour la postérité et l'émulation. Une religieuse rescapée la décrira comme « une sorte de sermon en arabe autour de l'autel ». Il ajoute en français : « Vous les chrétiens vous nous supprimez… » Selon *Le Figaro*, la scène est filmée sous la contrainte par un des laïques, qui sera ensuite lui aussi poignardé et laissé pour mort, mais l'intervention rapide de la police et l'exécution des deux assassins lui sauvent la vie et ne permettent pas la diffusion de la vidéo.

Une partie de la tradition musulmane fait des chrétiens des « gens du Livre » et leur confère le statut de monothéistes « protégés » (*dhimmis*), monnayant cette tolérance par un impôt de capitation, et cela contrairement aux « païens », passibles de mort s'ils ne se convertissent pas à l'islam. En revanche, le salafisme et les djihadistes dans sa foulée prônent une conception beaucoup plus fermée du « dialogue islamo-chrétien ». Pour eux, les disciples du Christ sont des mécréants, ou *kouffar*, qui adorent en réalité trois dieux : le Père, le Fils et l'Esprit saint. La mansuétude à leur endroit est suspendue en cas d'hostilité envers l'islam de quiconque parmi leurs coreligionnaires dont ils ne se seraient pas explicitement « désavoués ». Ainsi le père Hamel a-t-il été exécuté en rétorsion contre les bombardements occidentaux « croisés » du territoire de l'État islamique. La revendication en arabe de l'assassinat par Daech sur le site *A'maq* reproduit mot à mot celle de l'attentat de Nice, douze jours auparavant : les deux « soldats de l'État islamique » auraient répondu à cet appel à la revanche.

CHRONOLOGIE MORTIFÈRE,
CÉCITÉ POLITIQUE

Peut-être le plus affligeant au terme de cette chronologie mortifère vient-il de ce que le scénario, la technique opératoire et jusqu'au casting des protagonistes potentiels de ce djihadisme de troisième génération sont connus et accessibles depuis une dizaine d'années : leurs textes fondateurs, parus en arabe à partir de janvier 2005, ont été traduits et analysés dès 2008 par des universitaires de divers pays, dont en langue française par moi-même dans *Terreur et Martyre*. Le déroulement du drame s'effectue quasiment à la lettre conformément à la doctrine et au mode d'emploi que l'on trouve dans *L'Appel à la résistance islamique mondiale* de l'ingénieur syrien Abu Musab al-Suri aussi bien que dans le *Management de la sauvagerie* d'un auteur non identifié, qui signe « Naji ».

Ces avertissements ont été ignorés par les politiciens à courte vue qui nous gouvernent, comme par les hauts fonctionnaires qui gèrent l'État, au mépris du savoir déconsidéré des arabisants, de la sociologie dépréciée des enquêtes de terrain dans les quartiers populaires et de la psychologie dénigrée qui a également mis au jour les symptômes cliniques de ces phénomènes dans les centres de santé des cités depuis une décennie. Ils n'ont cherché à comprendre ni comment ni pourquoi s'est développée une culture d'enclavement volontaire et de rupture avec la société européenne et ses valeurs au nom d'un salafisme intransigeant, faisant le lit du passage à l'acte djihadiste et à l'assassinat d'individus réputés « mécréants » ou « apostats », dont « le sang est *halal* [licite] ».

On songe aux beaux esprits de la République de Weimar qui tenaient *Mein Kampf*, à sa parution en 1925, pour les élucubrations exaltées d'un peintre dénué de talent, ou à l'intelligentsia réformiste du tsarisme finissant qui voyait dans le *Que faire ?* de Lénine, publié en 1902, les sottises d'un doctrinaire manipulé par le Kaiser. Car si les phénomènes sociaux violents possèdent des logiques propres, liées souvent, mais pas toujours, aux conditions de vie de populations marginalisées, procédant également de la structure psychologique fragile des individus, il n'en reste pas moins que l'idéologie donne la conscience de l'action et en détermine les formes, tout comme elle définit les frontières de la communauté d'appartenance et de ses ennemis, voire régule, dans les cas passés en revue, jusqu'aux modes d'extermination de ces derniers.

C'est pourquoi il est impératif de faire preuve de lucidité à l'égard des ressorts de la doctrine djihadiste, même si celle-ci ne peut se matérialiser que lorsque des conditions objectives lui permettent de prospérer, comme l'embrigadement en prison, l'essor des réseaux sociaux ou la généralisation des smartphones transformés en vecteurs de prédication. Cela explique le décalage entre la parution en ligne en 2005 des textes mentionnés ci-dessus et leur mise en pratique au milieu de la décennie consécutive par des activistes, dont le premier fut Mohamed Merah en 2012.

Sans doute d'autres narrations ont-elles interféré pour composer le substrat du « grand récit » du djihadisme français contemporain, comme le legs de la guerre d'Algérie, contribuant à éclairer le caractère « rétrocolonial » de la haine. Il n'est pas indifférent que les enfants de l'école Ozar-Hatorah aient été massacrés par Merah le jour du cinquantenaire des accords d'Évian, le 19 mars 1962, ni que, dans le subconscient de sa famille, la France soit particulièrement exécrée. S'y ajoute la perpétuation sans solution du conflit israélo-arabe qui attise sans cesse les braises d'un « antisionisme » dont les djihadistes font un matériau de prédilection pour en appeler à l'extermination de tous les juifs.

Dans le cas de Merah, l'incarcération de son père pour trafic de drogue puis son expulsion consécutive en Algérie ont certainement joué un rôle d'adjuvant dans l'émergence du terroriste. On retrouve en effet de nombreux profils familiaux comparables au sien, voire identiques, comme chez les frères Kouachi, et des symptômes psychotiques ont été diagnostiqués chez Lahouaiej-Bouhlel comme chez Kermiche bien avant les faits. Mais sans la socialisation de Mohamed Merah par des réseaux de pairs au sein de la communauté rurale salafiste d'Artigat, dans l'Ariège, où se fait remarquer Jean-Michel Clain, qui lira le communiqué revendiquant les attentats du 13 novembre 2015, et par le biais des médersas égyptiennes, où son frère et sa sœur aînés ont été formatés, rien n'aurait abouti au terme fatal : ni des soldats français « apostats » ni des citoyens français de confession juive n'auraient été ciblés comme tels. Il en va de même de l'ensemble des cas répertoriés dans notre saga morbide, qu'ils s'achèvent au Stade de France, au Bataclan, à Magnanville, sur la promenade des Anglais ou dans l'église de Saint-Étienne-du-Rouvray.

Or le djihadisme ne se déploie pas dans l'éther, et il ne tombe pas du ciel, même si ces croyants exaltés en sont convaincus. Il est l'aboutissement de processus à l'œuvre simultanément dans deux contextes : le Moyen-Orient et l'Afrique du Nord, d'un côté, la société française et ses quartiers populaires, de l'autre. L'« Oranais-Roannais » Rachid Kassim, ancien éducateur social pour adolescents ayant découvert en Algérie le salafisme qu'il approfondira au Caire avant de rejoindre Daech et de devenir un des principaux passeurs de la terreur djihadiste en France en 2016, l'incarne exemplairement. Le prétexte routinier des massacres de 2016 — la vengeance pour les bombardements français sur le territoire du « califat » — l'illustre par son argument rhétorique. Pour la première fois dans l'histoire avec une telle intensité, du fait de l'ubiquité de la mondialisation, ces contextes se trouvent aujourd'hui brutalement télescopés. Après les soulèvements arabes de 2010-2013 et leur échec, le phénomène prend une tournure dramatique avec les masses de migrants et de réfugiés dues aux guerres du Moyen-Orient et d'Afrique, puis le flux des djihadistes vers la

Syrie ou retour du champ de bataille. En parallèle à ces déplacements d'êtres humains, l'abolition de toute distance et l'instantanéité des échanges dans l'univers virtuel créent une communauté d'appartenance étendue, une oumma en ligne, qui s'est émancipée des frontières et des territoires d'antan.

C'est par le biais des ondes que nous l'appréhendrons dans toute son ampleur à travers les chroniques qui suivent.

CHRONIQUES

SEPTEMBRE 2015

6 septembre

Le djihadisme peut-il être vaincu ?

— *De l'attentat de* Charlie Hebdo *à l'attaque du Thalys, le 21 août dernier, de quoi s'agit-il, de djihadisme, de Daech ? Et qui nous attaque, une idéologie, une organisation ?*

Tout se mêle en réalité, car l'idéologie et l'organisation en question ont muté. Après le djihad afghan des années 1980, après Oussama Ben Laden, le logiciel a changé. Il faut analyser cette transformation. Il existe deux terrains, l'Irak et le Moyen-Orient d'un côté, la France de l'autre, qui sont liés. On sait qu'Ayoub el-Khazzani, auteur de la tentative d'attentat dans le Thalys le 21 août, est passé par la Syrie, que Sid Ahmed Ghlam, suspecté d'avoir voulu attaquer une église à Villejuif le 19 avril de la même année, s'est aussi rendu en Turquie pour essayer d'atteindre le champ de bataille syrien, mais on lui a fait comprendre qu'il valait mieux commettre un attentat en France. Et, bien sûr, toute l'opération contre *Charlie Hebdo* est étroitement liée à la Syrie. La femme d'Amedy Coulibaly l'a rejointe avant la tuerie au supermarché Hyper Cacher de la porte de Vincennes, et, dans sa vidéo de revendication, Coulibaly s'est réclamé de Daech, de son drapeau, du calife, etc.

Nous sommes donc tenus de considérer l'ensemble, l'articulation du système, pour comprendre l'événement. Ce défi est nouveau. En règle générale, hommes politiques, hauts fonctionnaires, policiers et militaires ne sont pas complètement au fait de ce fonctionnement. Ils disposent d'une masse d'informations, de renseignements, et ont accès à de très nombreux procès-verbaux d'interrogatoires, puisque beaucoup de suspects ont été arrêtés. Mais ce qui leur fait défaut est la capacité de synthèse, de mise en perspective, tâche certes complexe, mais c'est ce que je me propose de faire avec vous dans ces chroniques durant toute l'année à venir.

— *La France est engagée depuis un an dans la coalition contre l'État islamique en Irak. Selon nos confrères du* Monde, *François Hollande envisagerait une intervention militaire contre Daech en Syrie en réponse au terrorisme. Diriez-vous « enfin » ?*

La doctrine du gouvernement était jusqu'alors qu'il existe une stricte équivalence entre le régime

de Bachar el-Assad, monstrueux, qu'il faut neutraliser, comme l'a répété François Hollande à la dernière Conférence des ambassadeurs, et Daech. Or il
se trouve que c'est Daech qui attaque la France en
menant des attentats sur son sol. Leur prévention
implique que l'État s'octroie les moyens de frapper
à la source ceux qui les commanditent et les revendiquent, ce qui n'avait pas été fait auparavant. Mais
comment combattre ce phénomène sans analyser ses
causes ?

Durant le semestre écoulé depuis le massacre de
Charlie Hebdo, des tentatives d'attentat ont échoué.
Cela donne le sentiment que les terroristes ne sont
pas appelés à gagner éternellement. Cela démontre
aussi que le modèle du djihadisme a évolué, qu'il n'est
plus pyramidal et minutieusement préparé, comme au
temps d'al-Qaida et du 11 Septembre, mais réticulaire,
en réseau, commettant des attentats avec des individus ni bien formés ni bien équipés. Par exemple, la
mitraillette de Khazzani s'enraye dans le Thalys, et
Ghlam se tire une balle dans la jambe. Le système
comporte donc des failles. Mais al-Qaida non plus,
en dépit du retentissement spectaculaire et planétaire
du 11 Septembre, n'a pas réussi à mobiliser les masses
pour s'emparer du pouvoir dans les pays musulmans.
Une autre particularité du djihad actuel est que, pour
la première fois, un territoire, le « califat », l'État islamique, est aux mains d'individus dont l'objectif est de
déclencher une guerre civile en Occident. L'idéologie
de ce djihadisme de troisième génération considère

que l'Europe est le ventre mou du monde occidental, et que c'est donc là qu'il faut faire porter l'effort, alors qu'al-Qaida ciblait surtout l'Amérique, plus forte et moins à même de s'effondrer.

— *Le djihadisme peut être vaincu, mais cela prendra du temps. Nos stratèges militaires parlent d'une dizaine d'années.*

Le principal objectif des djihadistes est d'enrôler les populations, de s'attirer un nombre significatif de sympathisants. Le terrorisme fonctionne selon une certaine économie politique. Quand il n'a plus d'impact, il perd en efficacité, s'épuise et finit par disparaître.

13 septembre

Réfugiés, migrants, terroristes

— *Dans l'actualité, des mots comme réfugiés, migrants, terroristes se retrouvent fréquemment dans le discours politique, qu'il soit de gauche ou de droite. Est-il toujours évident de distinguer les uns des autres ?*

Il est très difficile de faire le départ entre les registres émotionnel, qui semble interdire tout raisonnement, et rationnel, qui devrait proscrire l'émotion. C'est d'autant plus compliqué qu'il s'opère une sorte de chassé-croisé entre les réfugiés qui viennent de Syrie et les djihadistes qui quittent nos banlieues et nos lotissements de province pour aller y mener la guerre sainte. Comment y mettre de l'ordre ? Il s'agit d'une vraie question, à l'incidence politique immense. On entend beaucoup dire que le Front national n'a même plus besoin de s'exprimer et qu'il lui suffit de souligner ce que chacun peut voir à la télévision. Chaque fois que sont montrées des familles de réfugiés, surtout si elles comportent des femmes voilées et des barbus, en train de piétiner la frontière entre la Serbie et la Hongrie, par exemple, le FN monte dans les intentions de vote. Il se produit une angoisse d'invasion, de ce que l'on appelle à l'extrême droite le « grand remplacement », selon lequel la population de l'Europe vieillissante serait submergée par les flux irrépressibles de migrants venant d'Afrique et du Moyen-Orient.

— *Comme nous avons pu le voir sur la couverture du magazine municipal de la ville de Béziers, dont le maire Robert Ménard est soutenu par le Front national, avec une photographie retouchée surmontée du titre : « Ils arrivent ».*

C'est exactement ce registre. On aurait tort de simplement se moquer, tant les sondages indiquent avec constance le refus de la majorité des Français d'accueillir plus d'étrangers. Les discours de solidarité envers les réfugiés sont devenus inaudibles pour ceux qui considèrent que la crise due à la conjonction d'importants flux migratoires en Europe et de la permanence de forts taux de chômage fait peser des menaces à la fois sur l'emploi et sur les équilibres démographiques. La question des réfugiés, on le voit, est fondamentale. La situation de chaos qui prévaut dans un certain nombre de pays de la région, en particulier en Syrie et en Irak, rend légitime toute velléité de chercher asile ailleurs, d'échapper à la mort, que ce soit sous les bombes de l'armée de Bachar el-Assad, sous les coups de l'État islamique, mais aussi des chiites si l'on est sunnite, et des sunnites si l'on est chiite.

Des débats violents ont eu lieu quand Arno Klarsfeld a posté un tweet critiquant les parents du petit Syrien de trois ans, Aylan, retrouvé noyé sur une plage, au motif qu'il n'était pas « raisonnable de partir de Turquie avec deux enfants en bas âge sur une mer agitée dans un frêle esquif ». Parmi les nombreux internautes qui ont immédiatement réagi, Bruno Masure a tweeté : « Et les Juifs européens qui fuyaient la persécution nazie dans les années 1930, ils étaient "raisonnables" ? » De tels télescopages historiques valent ce qu'ils valent, mais ils soulèvent des problèmes éthiques considérables. L'image de cet enfant a fait le tour du monde et a eu un impact très important, contraignant Angela Merkel, qui était alors la dirigeante européenne la plus hostile à ces flux migratoires, à changer du tout au tout la position de l'Allemagne et à autoriser l'arrivée massive de réfugiés, créant ainsi un appel d'air.

Mais est-il certain que les gens qui affluent en Europe seront seulement un poids et qu'ils aggraveront tout ensemble le chômage, la délinquance, voire le djihad pour certains ? Pourquoi, parmi ceux qui ont accompli le dangereux voyage, certains ne contribueraient-ils pas à l'essor du Vieux Continent ? Je rappelle que le père biologique de Steve Jobs était un réfugié syrien. Le futur fondateur d'Apple avait ensuite été adopté en Californie par un ouvrier nommé Jobs. On connaît la suite. Il n'est pas inutile de la remémorer en ces temps où l'espoir semble à beaucoup un vain mot.

20 septembre

Réchauffement franco-marocain

— *François Hollande est actuellement en déplacement au Maroc, cela ne vous aura pas échappé, vous qui en revenez, pour une rencontre au sommet avec le roi Mohammed VI. Officiellement, ils parleront réchauffement climatique et lutte contre le terrorisme ; officieusement, il s'agirait surtout de réchauffer les relations entre les deux pays. Selon vous, est-ce opportun ?*

Cette visite met un terme à une sorte de brouille touchant à des questions sécuritaires et protocolaires. La partie marocaine estimait qu'un important respon-

sable de la sécurité avait été inquiété sur le sol français à la requête d'associations de défense des droits
de l'homme, en contravention de nos engagements
diplomatiques. Un grand malaise en avait découlé
qui s'était traduit par l'arrêt des échanges de renseignements dans un contexte problématique, du fait
de la menace djihadiste dans les deux pays. J'ai moi-
même entendu dire au Maroc que les attentats de
janvier 2015 auraient pu être déjoués si la suspension
de la coopération n'avait pas empêché certaines informations de parvenir à Paris.

L'affirmation est à prendre avec prudence, mais elle
montre bien que, par-delà la réconciliation officielle,
les flonflons, la visite du port de Tanger, nous com-
prenons mal ce qui se passe non seulement au Maroc,
mais au Maghreb et dans l'ancienne Afrique du Nord
en général. On connaissait remarquablement cette
région autrefois, à l'époque coloniale, pour des raisons
d'administration directe ou indirecte, comme nous
connaissions les départements français, si j'ose dire.
Ce n'est plus le cas. Or il existe des flux importants
entre les deux rives de la Méditerranée, positifs comme
négatifs, enthousiasmants ou préoccupants, qui nécessitent que l'on sache ce qu'il advient au Maghreb,
dont une partie des enfants sont aujourd'hui installés
en Europe et en particulier en France.

— *La brouille avec le Maroc semble dépassée, mais le
Maghreb n'est-il pas en train d'échapper à la recherche
française ? Un article paru cette semaine dans* Le Monde

*montre que l'Université a détourné son regard de l'Afrique
du Nord et qu'il y a de moins en moins de chercheurs spécialisés. En quoi est-ce important de s'intéresser à cette région ?*

L'article que vous évoquez est de la plume de
Ruth Grosrichard, professeur à Sciences Po, agré-
gée d'arabe et spécialiste des questions du Maghreb
qu'elle connaît bien, elle y est du reste née. Elle
déplore qu'en 2016, dans l'Université française, il n'y
aura plus qu'un seul titulaire d'une chaire consacrée à
l'Afrique du Nord. Au Maroc, si les élites maîtrisent
le français et l'arabe classique, la langue nationale
reste la *darija*, le dialecte marocain, qui incarne en
quelque sorte le génie propre du pays. Or presque
plus personne ne l'apprend dans nos facultés. En
conséquence, nous sommes incapables de comprendre ce qui se passe à l'intérieur du bled, dans
les esprits et les représentations. Étant donné l'importance du Maghreb pour la France d'aujourd'hui,
on peut parler sans exagération de catastrophe. Cela
s'inscrit malheureusement dans une désagrégation
générale des études arabes dans notre pays qui n'a
fait que s'aggraver au cours des cinq années écoulées
au moment même où l'on en avait le plus besoin.

— *Pourriez-vous dire un mot d'un des sujets phares de
cette rencontre, la lutte contre le terrorisme ?*

Rappelons que le dernier attentat en date, heureu-
sement neutralisé *in extremis*, dans un train Thalys,

était le fait d'un jeune Marocain, Ayoub el-Khazzani. Né à Tétouan et ayant vécu à Algésiras après avoir été trafiquant de drogue, il s'était installé en France, où il vendait des cartes téléphoniques, et avait fait le voyage en Turquie et en Syrie. Pour percevoir et éradiquer à l'avance ce genre de menaces, il faut être en mesure de comprendre le contexte, le facteur économique, la question de l'immigration.

27 septembre

Frappes françaises en Syrie

— Au début du mois, François Hollande a déclaré lors de sa conférence de presse de rentrée qu'il envisageait une intervention militaire en Syrie. Passant des paroles aux actes, la France a lancé aujourd'hui ses premières frappes. Sont visés, sous le sceau de la légitime défense, les « sanctuaires » de Daech où sont formés ceux qui s'en prennent à notre pays, a précisé Manuel Valls. Nous pourrions interroger l'efficacité opérationnelle d'une telle démarche, mais essayons plutôt d'analyser le message qu'entend envoyer la France à travers ces raids.

Ces frappes portent en fait plusieurs messages. Le premier est destiné à la population et à l'électorat français, puisque la hantise du gouvernement et de tous

nos concitoyens est de subir de nouveaux attentats.
D'après les sources de renseignement, les attentats
sont imaginés par des djihadistes installés en Syrie puis
mis en œuvre à leur initiative par d'autres se trouvant
en France. La destruction des « sanctuaires » a pour
objet d'empêcher cela. Pour la même raison, vous
aurez probablement observé dans la presse ces derniers jours qu'ont fuité un certain nombre de procédures judiciaires concernant un djihadiste originaire de
Cachan, Salim Benghalem (voir p. 74), considéré
comme un chef de la police de l'État islamique. Il est
suspecté d'être le tortionnaire et gardien en chef des
journalistes français Didier François, Édouard Elias,
Nicolas Hénin et Pierre Torres, retenus en otage dans
une prison d'Alep de juin 2013 à avril 2014.

— *Il aurait fait ses armes au Yémen en 2011.*

Si ce personnage est aussi remarquable, c'est pour
son ubiquité : on le retrouve partout. Il a rencontré les
frères Kouachi, il était le supérieur de Mehdi Nemmouche. Les théories fumeuses sur le « loup solitaire »
volent en éclats. Les pièces de ce puzzle djihadiste
assez cohérent commencent à se mettre en place.
  Les frappes françaises portent également un autre
message, international celui-là. La France lance ses
avions contre l'État islamique au moment même où la
Russie envoie vingt-six des siens bombarder des bases
de rebelles à Alep. Par rapport à la Russie, la France
donne le sentiment d'être un peu en arrière de la main

et d'avoir changé de politique. François Hollande a longtemps clamé qu'il fallait que Bachar el-Assad disparaisse ; désormais, sa priorité est finalement de frapper un ennemi d'Assad qui est aussi un ennemi de la France. Il a beau dire à la fin de ses interventions qu'Assad ne fait pas partie de la solution politique, aujourd'hui, la voix française est isolée. Angela Merkel a fait savoir que le président syrien pourrait rester temporairement en place. David Cameron également. À Washington, on reste assez flou sur ce point.

— *Faut-il applaudir à ce changement de stratégie de François Hollande ?*

Il est toujours compliqué de changer de stratégie en cours de route. Au départ, la vision était peut-être plus idéologique que pragmatique. Quand les proches du président ont commencé à dire « la Syrie est notre guerre d'Espagne », la porte s'est ouverte à toutes les dérives, dont nous payons aujourd'hui en partie le prix.

— *Vous évoquiez ces centres de formation de combattants étrangers que la France cible en Syrie, et où se trouvent des Français. Vous rentrez de la petite ville de Lunel, dans l'Hérault, rebaptisée capitale française du djihad, depuis qu'une vingtaine de ses jeunes sont partis en Syrie en un peu plus de deux ans et qu'une cellule d'acheminement y a été démantelée au début de l'année. Le message délivré a-t-il été perçu ?*

À Lunel, on essaye de comprendre ce qui a poussé ces jeunes à rejoindre le champ de bataille syrien. Quel rôle ont joué les dignitaires religieux dans cette affaire ? Ont-ils fait preuve de complicité, du moins de laisser-faire ? Comment cela s'articule-t-il avec les ruptures culturelles voulues par les mouvements salafistes, qui considèrent qu'au fond les valeurs de la société française ne comptent plus et qu'ils doivent mettre en avant les leurs propres ? C'est d'autant plus frappant aujourd'hui du fait de l'arrivée massive des migrants. À côté de Lunel, à Lunel-Viel, le conseil municipal a décidé d'affecter l'ancien presbytère à une famille de Syriens. C'est stupéfiant : sur un même territoire, à quelques kilomètres de distance, vingt personnes sont parties au djihad en Syrie pour contribuer à la guerre civile, tandis que des réfugiés qui la fuient viennent s'y installer.

4 octobre

La realpolitik de Vladimir Poutine

— *Une poignée de main sur le perron de l'Élysée et le sourire satisfait d'une discussion qualifiée de franche sur la Syrie, voilà ce que nous savons de l'échange entre François Hollande et Vladimir Poutine qui a précédé vendredi après-midi une rencontre à quatre sur le dossier ukrainien. S'il existe des points d'accord dans la lutte contre le terrorisme, Paris et Moscou n'en restent pas moins opposées sur la place à accorder à Bachar el-Assad dans un règlement politique du conflit. La Syrie, en passant par l'Ukraine : à quoi joue Vladimir Poutine ?*

Le président russe joue un rôle d'équilibriste grâce auquel il a remporté une manche, mais la partie n'est pas gagnée par la Russie pour autant. Il est sorti de la rencontre quadripartite de Paris en proposant aux Occidentaux une vision beaucoup plus apaisée de l'Ukraine. Il a réussi à colmater cette brèche parce qu'il a pu prendre l'initiative en Syrie. Cette initiative est plus contrastée qu'il a bien voulu l'affirmer. Les frappes russes sur la Syrie n'ont pas visé Daech, mais les positions de l'opposition syrienne, qui se trouvent autour de ce que l'on nomme le réduit alaouite, c'est-à-dire la côte, Lattaquié, Tartous, où est concentrée une grande partie de la population qui partage la confession du président Assad. Il s'agit de tenter de desserrer l'étau qui pèse sur cette région et ainsi de donner de l'espace vital à l'allié Assad.

Pour Vladimir Poutine, l'objectif à moyen terme est de faire en sorte qu'il ne reste plus que deux adversaires : le régime d'Assad, qu'il aura renforcé, et l'État islamique. Avec une campagne de communication bien menée, il sera dès lors possible, espère-t-il, de persuader un certain nombre de chefs de gouvernement occidentaux que Daech est plus dangereux qu'Assad. Ce dernier a massacré une grande partie de sa population, et une majorité des quelque deux cent cinquante mille personnes tuées en Syrie au cours de la guerre civile l'ont été sous les bombardements aériens du régime. Mais la monstruosité des crimes de Daech ajoutée aux risques d'attentats terroristes en Occident, et particulièrement en Europe, commandités par des djihadistes de Daech en Syrie, incitent les dirigeants occidentaux, même s'ils ne soutiennent pas Bachar el-Assad, à convaincre leur opinion publique qu'ils prennent toutes les mesures pour prévenir le terrorisme sur leur sol.

— *De nouvelles frappes de Moscou ont eu lieu aujourd'hui sur une dizaine de cibles. De son côté, Assad a déclaré à une chaîne de télévision iranienne que la Russie et ses alliés, la coalition en somme, devaient réussir, faute de quoi le Moyen-Orient serait détruit. Le président syrien, que l'on qualifiait hier de dictateur ou d'autocrate, a retrouvé son titre et se frotte les mains. Fait-il pâle figure ?*

Il se recrée clairement au Moyen-Orient un axe chiite, comme on l'appelait autrefois, dans lequel Moscou, Téhéran, Bagdad et Damas jouent en équipe. La situation est paradoxale, car même le président de l'Irak, un pays qui a été en principe « libéré » par les États-Unis, a demandé à l'aviation russe de frapper l'État islamique sur le territoire irakien. Cela indique que, pour l'instant, et aussi parce que l'Iran est parvenu à revenir dans la communauté des nations, cet axe est suffisamment structuré et organisé pour donner le sentiment qu'il est à l'offensive, alors que la coalition occidentale bombarde Daech depuis plus d'un an sans beaucoup d'effet.

Celle-ci est hétéroclite. La Turquie, l'Arabie saoudite, l'Europe et les États-Unis ne jouent pas exactement la même partie, ce qui renforce la main de Moscou. Mais il n'est pas sûr que cette politique soit tenable à long terme. Bachar el-Assad compte sur la durée : son armée est épuisée, ses troupes ne peuvent plus se battre sur le terrain, faute de fraîcheur, mais des volontaires chiites libanais viennent, aujourd'hui encore, consolider l'infanterie. De plus en plus de gens quittent les régions contrôlées par le régime. On assiste à une course contre la montre avec plusieurs adversaires, un jeu de billard à trois bandes entre les Russes et leurs alliés, les Saoudiens et leurs alliés, les Occidentaux. Si Vladimir Poutine parvient à maintenir Assad au pouvoir un certain temps et à affaiblir l'opposition anti-Daech, il aura marqué des points, mais rien n'assure qu'il réussira son pari.

— En un mot, les États-Unis et la France vont-ils vers une surenchère ou laissent-ils faire Moscou parce qu'ils n'ont pas le choix ?

La décision occidentale est en panne. Les États-Unis ne semblent plus être en capacité ni même désireux d'exercer leur leadership. Pour les pays européens, dont la France, très inquiète à la perspective d'attentats terroristes sur son sol lors de la Conférence de Paris sur le climat (COP21), à la fin de l'année, l'objectif de sécurité intérieure prévaut dans l'immédiat sur celui de la sécurité au Moyen-Orient.

11 octobre

La Turquie, les Kurdes et Daech

— En Turquie, mais aussi en France, des milliers de personnes manifestent en soutien aux victimes de l'attentat meurtrier commis hier à Ankara et qui n'est toujours pas revendiqué[1]. Mobilisation également contre la politique de guerre du président Recep Tayyip Erdoğan. À trois semaines des élections législatives du 1ᵉʳ novembre, la tension est vive dans le pays. S'agit-il d'une tension stratégique ?

Au Moyen-Orient, la Turquie se trouve en ce moment dans l'œil du cyclone. Sur le plan intérieur, le scrutin qui aura lieu au début de novembre devrait sceller le sort du chef de l'État turc. Lors des élections précédentes, le 7 juin de cette année, l'AKP (parti de la justice et du développement), son parti islamiste, n'a pas réussi, avec 40 % des voix et deux cent cinquante-huit sièges sur cinq cent cinquante, à atteindre la majorité et n'a pu constituer de coalition gouvernementale. La formation prokurde HDP (parti démocratique des peuples), qui avait appelé hier à la manifestation au cœur de laquelle a été commis cet attentat épouvantable, a récolté 13 % des suffrages et

---

1. L'attentat-suicide aurait fait plus de cent morts et des centaines de blessés et fut finalement revendiqué par Daech.

ainsi passé la barre des 10 % lui permettant d'envoyer quatre-vingts députés au Parlement. Parallèlement, le parti ultranationaliste et antikurde MHP (parti d'action nationaliste), que l'on surnomme les « Loups gris », a également obtenu quatre-vingts élus, si bien que l'AKP du président Erdoğan s'est trouvé dans l'incapacité de gouverner.

Celui-ci espère évidemment de ces nouvelles élections qu'elles lui redonneront une majorité et qu'il pourra même remporter les trois cinquièmes des sièges nécessaires à une révision constitutionnelle autorisant la présidentialisation du régime à son profit. Les sondages ne lui étaient à ce jour guère favorables, et la situation est propice à toutes les manipulations. La Turquie bruit de rumeurs imputant la responsabilité de l'attentat aux différentes forces politiques en présence. Rappelons que les Kurdes syriens sont les principaux opposants de Daech. Ce sont eux qui ont vaincu les troupes de l'État islamique à Kobané en janvier puis à Tell Abyad en juin, où se trouvait le plus important point de passage des djihadistes venant d'Europe ou y retournant entre la Turquie et la Syrie. S'agit-il d'une vengeance de Daech contre les Kurdes, en Turquie ? On peut aussi imaginer une de ces manipulations dont les services secrets turcs de diverses obédiences sont friands. Enfin, des dirigeants de l'AKP affirment à qui veut les croire que ce sont les Kurdes eux-mêmes qui ont commis l'attentat pour décrédibiliser le gouvernement. Ce climat n'est pas favorable à la tenue d'élections sereines, car la stratégie de tension peut profiter à l'AKP, qui incarnerait un pouvoir fort.

La Turquie est enfermée dans les contradictions de sa politique moyen-orientale, et ce de deux manières. Elle a beaucoup milité pour le départ de Bachar el-Assad, et elle soutient la coalition islamiste de la résistance anti-Daech dans laquelle se trouve par ailleurs al-Qaida. Elle aussi se range aux côtés des sunnites de la région contre les chiites, bien qu'elle compte elle-même une très importante minorité d'obédience chiite, les Alevis, qui est traditionnellement laïque plutôt que religieuse et se montre très hostile à la politique menée par le gouvernement d'Erdoğan en Syrie.

— *D'où les slogans des manifestants conspuant le président, accusé de pratiquer un jeu trouble avec Daech ?*

En principe, la Turquie met en œuvre une politique de double sanction, bombardant à la fois Daech et les bases du PKK (parti des travailleurs du Kurdistan). La guerre civile a repris dans le Sud-Est turc depuis l'été dernier. Des attentats sont commis par ce parti indépendantiste clandestin kurde, le PKK, dont le chef, Abdullah Öcalan, moisit en prison sur une île turque. Ces attentats ont tué des militaires turcs et ont été suivis d'une violente répression. On risque de revenir au climat insurrectionnel qui prévalait avant la victoire de l'AKP aux élections législatives de 2002 et l'arrivée au pouvoir de Recep Tayyip Erdoğan l'année d'après.

Dernier point, peut-être le plus intéressant pour

les Européens, celui-ci se trouvait cette semaine à Strasbourg, où il a tenu un grand meeting électoral pour ses partisans, car beaucoup de Turcs votent en Europe. Strasbourg présente l'avantage d'être proche de l'Allemagne où vit la plus importante concentration d'immigrés turcs de l'UE. Quantité d'entre eux sont aussi présents en Alsace, aux Pays-Bas et en Belgique. Erdoğan s'est également rendu à Bruxelles, où il s'est affiché comme celui qui pouvait négocier, si j'ose dire, l'arrivée des réfugiés de Syrie et du Moyen-Orient, qui transitent en masse par son pays, avec les instances de l'Union européenne. C'est du reste en Turquie qu'a été photographié ce malheureux petit garçon, Aylan, retrouvé mort sur une plage de Bodrum, jusqu'alors fameuse comme station balnéaire, après le naufrage du bateau sur lequel il avait embarqué avec sa famille dans cette même ville pour rejoindre l'île grecque de Kos, un des plus courts passages maritimes vers l'Europe.

— *Vous dites « négocier », mais quels seraient les termes du contrat ?*

L'UE demande à la Turquie de pouvoir installer sur son sol des centres de filtrage des réfugiés qui seraient admis à venir en Europe. Erdoğan refuse, car cela porterait atteinte à la souveraineté de son pays. Rappelons que la Turquie réclame depuis longtemps d'intégrer l'UE, mais que l'examen de sa candidature est remis aux calendes grecques, si j'ose dire.

18 octobre

Djihad français, djihad syrien

— Le 9 octobre dernier, le ministre de la Défense Jean-Yves Le Drian a annoncé que la France avait pour la deuxième fois frappé Daech en visant un camp d'entraînement de l'organisation situé près de Rakka. Dans son édition parue hier, Le Monde écrit que « cette opération a été en grande partie pensée autour d'un Français de trente-cinq ans, Salim Benghalem, originaire de Cachan ». Allégation qui n'a été ni attestée ni démentie par le cabinet du ministre. Si ces informations sont exactes, qu'est-ce que cela change à la lecture que nous pouvons faire de l'engagement militaire français en Syrie ?

Cela ne ferait que confirmer que le front du djihad syrien et celui du djihad français sont imbriqués. Si ces frappes visent à éliminer Salim Benghalem, c'est parce que, selon des procédures judiciaires lancées contre des individus arrêtés en France cette année et qui ont fuité dans la presse le mois dernier (voir p. 63), au moins un d'entre eux aurait expliqué qu'il avait été recruté depuis la Syrie, notamment par Benghalem, pour commettre des attentats sur le sol français[1].

_____

1. Non seulement Benghalem survécut aux frappes françaises,

La tentative a pour but de déjouer les attaques en France en détruisant ceux-là mêmes qui les fomentent en Syrie. Dans l'affaire Merah, dont le procès n'a pas encore eu lieu, bien que l'instruction soit terminée[1], on ignore comment les choses se sont enclenchées. De même, il est crucial de comprendre le processus par lequel ont été préparés et perpétrés les massacres de janvier 2015, ne serait-ce que pour en prévenir d'autres. Le gouvernement, responsable de l'ordre, souhaite éviter d'être sanctionné dans les urnes parce qu'il n'aurait pas pris toutes les mesures pour empêcher leur survenue. Cela ne va pas sans soulever d'énormes problèmes. Par exemple, l'État de droit peut-il cibler des individus soupçonnés de vouloir organiser des attentats et les neutraliser ou les éradiquer selon des procédures qui peuvent s'apparenter à des exécutions extrajudiciaires ? La question se pose bien sûr aussi aux États-Unis, où l'élimination physique de djihadistes par des drones suscite un vif débat.

— *Que savons-nous du parcours de Salim Benghalem, ce jeune homme originaire de Cachan ?*

---

mais, selon une enquête américaine du Terrorism Research and Analysis Consortium relayée par la presse française en janvier 2016, il aurait été le « cerveau » des attentats de Paris et Saint-Denis du 13 novembre 2015.

1. Au moment de mettre sous presse, il ne s'est toujours pas tenu, et aucune date n'a été annoncée.

Il n'est plus si jeune, puisqu'il a trente-cinq ans, même si la jeunesse dure longtemps dans les cités populaires sans emploi. Il est représentatif de ce puzzle du djihadisme dont on assemble les morceaux petit à petit. Il est établi, par exemple, qu'il a été, en même temps que Mehdi Nemmouche, l'auteur présumé de l'attaque contre le Musée juif de Bruxelles, le 24 mai 2014, arrêté avec un arsenal à Marseille six jours plus tard, un des geôliers des quatre journalistes français otages en Syrie. Il est parti s'entraîner au Yémen avec un des frères Kouachi et s'est félicité des attentats de Paris. Comme le montrent des interceptions téléphoniques, il a été en contact avec ceux qui préparaient des répliques du séisme du mois de janvier sur le sol français.

C'est en ce sens que les autorités françaises ont jugé qu'un individu bien identifié et localisé en Syrie jouait un rôle important dans les attentats et ont décidé, selon *Le Monde*, de le neutraliser. Il s'agit là d'un élément de faiblesse du djihadisme de troisième génération. Finalement, même si la structure de ce nouveau djihadisme n'est pas aussi claire qu'à l'époque de Ben Laden et du système pyramidal d'al-Qaida, on parvient graduellement à élucider la façon dont il fonctionne. Encore faut-il que les frappes atteignent leur cible.

25 octobre

Les émeutes en banlieue
dix ans après

— *Il y a dix ans, le 27 octobre 2005, Bouna Traoré et Zyed Benna trouvaient la mort dans un transformateur électrique à Clichy-sous-Bois alors qu'ils étaient poursuivis par des policiers. Ces événements avaient été le point de départ de trois semaines de violences dans plusieurs villes de France. Dans une enquête menée à Clichy-Montfermeil cinq ans après les faits, et publiée sous le titre* Banlieue de la République, *vous souligniez qu'une grande proportion de jeunes vivant dans cette agglomération s'étaient inscrits sur les listes électorales au lendemain des émeutes. Dix ans après, pouvons-nous parler d'une réappropriation de la chose politique par les habitants des quartiers populaires ?*

C'était l'objectif d'un certain nombre d'associations qui avaient encadré les jeunes descendus dans la rue pour leur expliquer qu'ils avaient d'autres moyens de s'exprimer que les cocktails Molotov et qu'en tant que citoyens français ils pouvaient faire valoir leurs revendications par le biais du bulletin de vote. Cette socialisation s'est toutefois révélée ambivalente. En 2006 et 2007, on a certes enregistré des inscriptions massives sur les listes électorales dans les quartiers populaires, notamment en Seine-Saint-Denis. En même temps, les émeutes ont eu un effet anxiogène sur la société. Nicolas Sarkozy, ministre de l'Intérieur pendant celles-ci, a su capitaliser sur ces peurs en 2007 en siphonnant quelque 7 % des voix de Jean-Marie Le Pen par rapport au score du candidat frontiste en 2002, ce qui lui a permis d'acquérir une avance significative sur Ségolène Royal. Celle-ci est allée faire campagne dans les banlieues populaires, notamment à Clichy-sous-Bois, où elle a obtenu 82 % des voix, mais cela ne lui a pas suffi pour l'emporter. En 2012, en revanche, François Hollande a bénéficié d'un vote massif des électeurs se définissant comme musulmans — entre 85 % et 90 % d'entre eux lui auraient apporté leurs suffrages selon les sondeurs —, contribuant significativement à sa victoire.

On aurait pu penser que cet électorat des quartiers populaires issu de l'immigration était durablement passé à gauche. Il n'en a rien été. Pour plusieurs raisons, il s'est abstenu ou n'a plus participé aussi massivement au cours des scrutins suivants. La persistance du chômage, qui touche 40 % des jeunes de ces quartiers, les a laissés sans perspective, et l'identification avec le gouvernement de gauche a cessé d'aller de soi. Un autre facteur expliquant le désamour à l'égard de la gauche, dans un électorat très fréquemment de confession et de culture musulmanes, est venu de la loi du 17 mai 2013 sur le « mariage pour tous ».

Aux élections législatives de 2012, le parti socialiste avait promis d'ouvrir le mariage aux couples de même sexe. Dès les scrutins partiels résultant des invalidations par le Conseil constitutionnel qui ont suivi à l'automne, on a pu observer un rejet de ses candidats dans les quartiers à forte population musulmane, à l'incitation d'imams stigmatisant les socialistes, « corrupteurs sur la terre », qui permettent le mariage homosexuel. Cet électorat est aujourd'hui fragmenté, et ceux qui ne veulent pas aller jusqu'à voter pour la droite se sont au moins démobilisés. Paradoxalement, dans des villes comme Aulnay-sous-Bois ou Bobigny, en Seine-Saint-Denis, la victoire de la droite aux élections municipales du printemps 2014 est venue d'une abstention massive et de l'alliance d'un certain nombre de militants islamistes avérés avec des listes de droite. Ce département, que le découpage électoral gaulliste avait créé pour y « concentrer » le parti communiste et d'où les émeutes étaient parties en 2005, a vu cette année la majorité des communes passer à droite pour la première fois de son histoire.

— *Pensez-vous qu'aujourd'hui la gauche ait définitivement perdu l'appui de cet électorat ?*

Pas nécessairement, mais elle a cru qu'il lui était acquis et a injecté très peu de politique publique dans les quartiers populaires. Dès avant les émeutes de 2005, mais surtout après, ces politiques reposaient sur l'Anru, c'est-à-dire la rénovation urbaine, le béton. Les banlieues n'ont certes plus le même visage qu'autrefois, et, dans bien des cas, leur aspect sordide a été résorbé. Mais tant que perdurera le chômage massif des jeunes, le phénomène risque de se répéter. Ces quartiers paraissaient magnifiques au moment de leur sortie de terre, après guerre. On y allait pour fuir les logements vétustes sans salle de bains des centres-villes... Ils se sont ensuite terriblement dégradés...

Ier novembre

La Syrie vue du Golfe

— *Gilles Kepel, vous êtes avec nous depuis Abu Dhabi, aux Émirats arabes unis, où vous assistez à un colloque sur la situation des États arabes du golfe Persique. Vendredi, la Maison-Blanche a pour la première fois informé de l'envoi de troupes au sol dans le nord de la Syrie. Comment cette décision est-elle perçue dans les États du Golfe ?*

Cette annonce a été accueillie ce matin par des mines affligées dans la salle de conférence. Les pays du Golfe — Arabie saoudite, Émirats, où je me trouve, Koweït, Bahreïn, Qatar et Oman — dépendent du soutien militaire américain. Même s'ils ont acheté beaucoup d'armes, ils sont petits, faibles, entourés de grands rivaux et ennemis, en particulier l'Iran, qui les obsède tous. La perspective que cinquante soldats américains seulement soient déployés dans cette région de tous les dangers leur fait penser que les États-Unis les ont complètement oubliés et que, depuis que le prix du baril est descendu à 40 dollars et que le pétrole de schiste est produit désormais partout, ils ne jugent plus nécessaire d'envoyer des troupes en nombre significatif pour protéger les pétromonarchies.

Cette désillusion n'empêche pas le maintien d'un fort appui aux rebelles syriens, même si ces États du Golfe paraissent démunis et divisés quant à la crise syrienne. Oman initie des pourparlers avec l'Iran et est donc considéré comme un traître par les autres membres du CCG (Conseil de coopération du Golfe), tandis que le Qatar soutient surtout les Frères musulmans. On sent un grand désarroi.

— *Vendredi dernier, les principaux acteurs diplomatiques impliqués dans la gestion du conflit syrien étaient réunis à Vienne, et, pour la première fois, l'Iran était au rang des participants. Le secrétaire d'État John Kerry a résumé la rencontre d'une formule éloquente en déclarant que les États-Unis, la Russie et l'Iran s'étaient « mis d'accord pour ne pas être d'accord sur le sort à réserver au président Bachar el-Assad ». Que change l'arrivée de l'Iran ? Est-ce vraiment un tournant ?*

C'est fondamental : l'Iran est réintégré dans la communauté des nations, certes comme membre dissident, mais ni plus ni moins que la Russie, et a le droit de donner son avis. Auparavant, c'était un État paria dont personne ne voulait entendre parler. La position française, intransigeante à l'égard de l'Iran jusqu'à une date récente, apparaît aujourd'hui comme un combat d'arrière-garde qui n'a servi à rien. Il est frappant de constater qu'une nouvelle génération est désormais aux commandes des deux côtés.

En Arabie saoudite, le roi a mis au pouvoir son neveu le prince héritier et son fils, vice-prince héritier, âgé d'une trentaine d'années. Le ministre des Affaires étrangères saoudien, Adel al-Jubeir, que je connais bien, est un universitaire formé aux États-Unis. Son homologue iranien, Mohammad Javad Zarif, que j'ai souvent rencontré, est également un intellectuel éduqué aux États-Unis. Ces responsables appartiennent à un autre monde que leurs aînés, même si eux-mêmes ou leurs représentants se sont livrés à des joutes viriles à Vienne. Les modes de fonctionnement changent eux aussi. Cela ramènera-t-il la paix en Syrie ? On n'en est pas là, et le sort de Bachar el-Assad reste incertain, mais le fait d'en discuter montre que les États-Unis n'excluent plus la possibilité qu'il demeure à son poste pour un temps non défini.

— Malgré tout, l'ayatollah iranien Ali Khamenei a fait savoir aujourd'hui qu'il était « insensé que des pays se réunissent pour décider du sort d'un pays et de son chef », parlant bien sûr de la Syrie. De ce côté, les choses ne semblent pas beaucoup bouger.

Certes, mais il s'agit d'une position officielle, avancée à seule fin de pouvoir négocier. Le guide suprême Khamenei a aussi déclaré qu'il fallait organiser des élections en Syrie. Cela signifierait, dans leur rhétorique, que si les belligérants pouvaient être désarmés, le régime serait plus fort et le président serait réélu dans les circonstances présentes...

8 novembre

L'Orient et le roman français

— *Mardi dernier, le prix Goncourt a été attribué à Mathias Enard pour son roman* Boussole. *La semaine dernière, Hédi Kaddour, également finaliste pour le Goncourt, a reçu le Grand Prix du roman de l'Académie française pour* Les Prépondérants, *ex æquo avec Boualem Sansal pour* 2084. *Ces trois romans ont tous à voir avec l'Orient, un Orient qui s'étendrait du Maghreb aux confins de l'Asie. Comment interprétez-vous l'attrait des écrivains contemporains pour l'Orient ?*

Depuis le début de ces chroniques nous parlons de bombes, de djihad, de Daech, de réfugiés, c'est-à-dire de l'actualité quotidienne dans ce qu'elle a de plus atroce. Par-delà ces événements tragiques c'est notre longue histoire avec le monde arabe, musulman, en particulier notre histoire coloniale, qui fait retour aujourd'hui. Le fait que la littérature, la fiction, participe de ce retour est un signe puissant. L'année 2015 a commencé avec les attentats de *Charlie Hebdo* et de l'Hyper Cacher et va probablement se terminer par une avancée du Front national aux élections régionales. Ce sont là des extrêmes, mais, à l'intérieur de notre société, un large débat s'élève. La littérature traduit ce mouvement des consciences tout en dépassant ce qui se joue sur la scène politique. Je connaissais l'œuvre de Mathias Enard, dont j'avais beaucoup apprécié le roman *Zone*.

— *Son nouveau livre dresse le portrait de ce que l'on appelait autrefois un orientaliste. Vous êtes vous-même un orientaliste. Vous êtes-vous reconnu dans ce personnage particulièrement mélancolique ?*

Tout à fait. Après la parution, en 1979, de l'essai d'Edward Saïd *L'Orientalisme : l'Orient créé par l'Occident,* plus personne n'a osé employer ce terme pendant des années, car l'orientaliste était dépeint exclusivement comme le suppôt du colonialisme. C'était une vision fausse. Selon moi, l'orientalisme, quelle que soit la façon dont on nomme notre métier, s'efforce de produire du savoir et de la connaissance partagée, comme je le fais avec vous en ce moment même à la radio. Même si un orientaliste dans mon genre peut avoir accès aux dirigeants politiques d'un côté comme de l'autre de la Méditerranée, il fréquente aussi leurs opposants, voire leurs ennemis. Il est très important de parvenir à comprendre en profondeur ce qui advient dans ces sociétés en maîtrisant leur langue et leur culture, leur histoire et leur anthropologie. Faute de cela, nous échouerons à nous prémunir contre les décisions trop rapides, comme ce fut le cas à l'occasion des révolutions arabes, interprétées à tort sur le modèle de la transition des pays de l'Est sortant du communisme ou à travers le concept de « choc des civilisations » cher à Samuel Huntington.

— *Pour conclure, vous vouliez nous lire un extrait des* Prépondérants *d'Hédi Kaddour.*

Cette histoire magnifique se passe dans un Maghreb imaginaire dans les années 1920 : « Elle lisait plus de livres en arabe qu'en français. Ça avait rassuré son père, mais il avait fini par se rendre compte que certains livres arabes étaient aussi dangereux que les livres français. Elle s'appelait Rania, vingt-trois ans, sculpturale, des yeux en amande, c'était la fille de Si Seddiq, un grand bourgeois de la capitale, ancien ministre du Souverain. Elle était veuve, son mari était mort quand elle avait dix-neuf ans, il était beau, ils s'adoraient, il avait lui aussi le goût des livres et, comme il y ajoutait celui du combat, il avait disparu dans un fracas d'obus en Champagne. [...] Quand un autre homme se présentait, elle le qualifiait sans trop attendre, c'était un violent, un édenté, ou un malpropre, ou un profiteur. Elle ne se perdait pas en détails. Elle rassurait pourtant son père, elle finirait par trouver un bon parti. Il s'inquiétait parce qu'elle avait comme un handicap, elle était plus grande que la moyenne des hommes, elle soutenait leur regard, avec l'allure de celles qui, dès l'enfance, ont fait tenir un panier sur leur tête. Le panier, personne ne l'y avait obligée, elle avait voulu faire comme les domestiques. »

— *Qu'est-ce qui vous frappe dans ce passage ? Le roman se déroule dans un protectorat français qui n'est pas précisé.*

Nous entrons dans la personnalité de cette jeune femme originaire du Maghreb, comme il y en a tant parmi nous aujourd'hui en France, dont l'imaginaire, pour particulier qu'il soit, fait désormais partie de notre identité et de notre culture à tous et dont le corps se frotte au nôtre.

15 novembre

La France après le 13 novembre

— *Début décembre paraîtra votre nouveau livre,* Terreur dans l'Hexagone. *Était-il évident pour vous, quand vous avez imaginé ce titre, que les attentats d'avant-hier, d'une rare violence et parfaitement coordonnés, allaient se produire à un moment ou à un autre ?*

Je ne veux pas jouer les prophètes *a posteriori*, mais ça n'a pas été une surprise. Le titre et le sous-titre du livre, « Genèse du djihad français », ont été trouvés par mon éditeur bien avant le 13 novembre. Tout mon travail a consisté en une mise en perspective de l'ensemble des événements qui ont abouti à la séquence ouverte par les crimes de Mohamed Merah, les 11, 15 et 19 mars 2012, et qui débouche aujourd'hui sur les attentats du vendredi 13 novembre 2015. Pareille continuité dessine une logique globale, qui pouvait être comprise, et une finalité, qui était malheureusement elle aussi prévisible.

— *Il y a des mots qui font horreur :* « *Tuez-les, crachez-leur au visage, faites ce que vous pouvez pour les humilier, car ils ne méritent que ça.* » « *Ils* », *ce sont les Français. Des vidéos d'appel au passage à l'acte circulent sur Internet depuis hier. Elles sont, dans la mesure du possible, censurées. La France est-elle devenue une cible privilégiée dans la rhétorique djihadiste ?*

Ce n'est pas nouveau. La séquence que je vous ai communiquée et dont vous avez cité des extraits a été très rapidement retirée de la Toile. Contrairement au mois de janvier, où les services de renseignements avaient beaucoup de mal à agir sur les réseaux sociaux, il semble que de nombreuses embauches de spécialistes aient été faites et que des images qui pouvaient rester deux ou trois jours en ligne auparavant disparaissent à présent immédiatement. Je pense notamment à un clip de 2013 où un jeune converti s'exprime depuis la Syrie avec un fort accent du Sud-Ouest pour appeler ses « frères en Allah de France » à rallier Daech. Je pense aussi à des enregistrements audio d'un des frères de Boubaker al-Hakim, chef de la filière djihadiste des Buttes-Chaumont démantelée en 2005, qui était parti en Irak et invitait tous ses contacts parmi les musulmans radicalisés du XIXe arrondissement de Paris à venir le rejoindre pour y tuer les Américains. Cette rhétorique est présente depuis une dizaine d'années sur les réseaux sociaux de la djihadosphère.

— Vendredi soir, lors de sa première allocution télévisée, on a senti François Hollande très ému, parfois même presque déboussolé. Ne croyez-vous pas que le gouvernement et l'exécutif sont quelque peu débordés par ce qui se passe ?

La connaissance policière de ces questions s'est incontestablement affinée. En revanche, la capacité à analyser ce que pense Daech, ce qui fait bouger ces femmes et ces hommes est catastrophique. Je suis frappé par l'effondrement des études arabes en France et par l'apathie de la puissance publique devant le phénomène. Les propos martiaux tenus par Manuel Valls hier seront certainement bien reçus chez les Français, mais on sent qu'ils ne sont pas nourris d'une véritable compréhension de la situation au Moyen-Orient par les élites politiques et la haute administration. Notre pays a connu de très grands orientalistes, Maxime Rodinson, Jacques Berque, Mohammed Arkoun. Ces études ont été laissées à l'abandon, voire détruites, comme à Sciences Po. Aujourd'hui, bien des jeunes chercheurs français qui veulent se spécialiser dans ces questions doivent s'exiler outre-Atlantique ou outre-Manche. Reviendront-ils ? Nous avons perdu pied dans un domaine crucial, y compris pour comprendre notre propre société et ses quartiers populaires, le monde dans lequel nous vivons, et pour réagir aux défis qui nous sont posés.

— *Parmi ceux-ci, il y a l'intervention de la France et plus largement de la coalition en Irak et en Syrie. À votre avis, faut-il intensifier les frappes contre l'État islamique ?*

L'universitaire n'a pas à indiquer s'il *faut* ou non, ce qui relève de la décision politique, mais il doit essayer d'éclairer la situation. La force de Daech tient au fait qu'il contrôle ce territoire sunnite, ce « Sunnistan » qui va de Mossoul aux confins de Damas, à Palmyre, et dans lequel se trouvent des dizaines de milliers de djihadistes, qu'ils soient locaux ou sortis de nos banlieues et quartiers populaires. Armés de leur foi, de leurs kalachnikovs — et d'un peu de Captagon, la drogue des djihadistes, pour les opérations-suicides —, ils donnent le sentiment de résister aux plus puissantes armadas, à des frappes de Mirage, de Rafale, de Phantom qui coûtent des milliards de dollars, ce qui leur vaut, sous certaines latitudes, d'apparaître comme les redresseurs de torts du monde.

22 novembre

Sommes-nous en guerre ?

— « *La France est en guerre* », *voilà les mots qu'a choisi le président de la République, lundi dernier, pour ouvrir son discours devant le Parlement réuni en congrès à Versailles. Aujourd'hui, sur Europe 1, le ministre de la Défense Jean-Yves Le Drian a parlé d'une* « *guerre hybride mondiale* » *et annoncé que le porte-avions français* Charles-de-Gaulle *pourra engager dès demain nos chasseurs contre le groupe État islamique. La France est-elle en guerre ?*

Il existe deux théâtres d'opérations. Sur le territoire extérieur, en effet, des opérations militaires ont lieu. Le *Charles-de-Gaulle* s'y rend, des Mirage et des Rafale décollent déjà d'un certain nombre de bases dans la région et bombardent les positions de Daech, dont certains des combattants sont venus semer la terreur en France. Ce sont des opérations militaires, que l'on peut qualifier d'actes de guerre. En revanche, je conteste la formule « la France est en guerre ». Sur le territoire national, nous ne sommes pas en guerre contre tel ou tel malfrat de Molenbeek, tel ou tel braqueur d'on ne sait où, tous ces gangsters reconvertis dans le djihadisme qui ont adopté des attitudes relevant de la grande criminalité devenue folle grâce à l'idéologie salafiste. Tout cela n'a rien à voir avec un état de guerre.

Accepter de parler de guerre signifierait qu'il existe en face de nous un État constitué. Surtout, ce serait aller dans le sens des djihadistes, qui visent, par ces actions, à susciter une guerre civile en Europe entre les musulmans, qu'ils voudraient rassembler sous leur bannière, et les non-musulmans. Il faut faire très attention aux termes : les interventions qui se déroulent en France sont des opérations de police. Même si elles n'ont malheureusement pas pu prévenir les actes terroristes, elles ont été efficaces par la suite. L'attaque sur la cache du coordonnateur des attentats du 13 novembre, Abdelhamid Abaaoud, à Saint-Denis, était aussi impressionnante que réussie, mais il s'agit d'une opération de police, pas d'un acte de guerre. L'enjeu de toutes les actions sur notre sol est de dissocier ces djihadistes radicaux de la population qu'ils voudraient entraîner derrière eux.

— *Hier, le ministre de l'Économie Emmanuel Macron a affirmé que la France devait assumer une responsabilité envers le terreau sur lequel le djihadisme a pu prospérer en France. « Nous avons progressivement abîmé cet élitisme ouvert, républicain, qui permettait à chacun et chacune de progresser », a-t-il déclaré. Êtes-vous d'accord avec la position d'Emmanuel Macron ?*

Mon livre à paraître début décembre, *Terreur dans l'Hexagone*, documente ce qu'exprime Emmanuel Macron, à savoir que le djihadisme français est la résultante de la mutation des mouvements djihadistes à l'extérieur, depuis l'Afghanistan jusqu'à Ben Laden et aujourd'hui Daech, mais aussi d'une logique intérieure, sociale, la désaffection de certaines populations vivant dans les banlieues populaires pour la nation française dans son ensemble. Là se trouve le « terreau » que les mouvements djihadistes s'efforcent d'utiliser, et c'est donc là qu'il convient de l'assécher. Ce n'est pas une guerre qui pourra le faire. Ce phénomène ne concerne d'ailleurs pas seulement les djihadistes, mais toute une partie de la société française, qui n'est pas musulmane et se réfugie dans le vote pour l'extrême droite et le Front national. On est aujourd'hui pris en tenailles entre le salafisme et le FN, et la consécution est effrayante. Les panneaux d'affichage ont commencé à fleurir un peu partout devant les écoles et les lieux publics, les élections régionales vont se tenir dans ce contexte, et c'est, je crois, ce qu'a voulu dire Emmanuel Macron.

29 novembre

La Syrie n'est pas
notre guerre d'Espagne

— *Cette semaine, François Hollande a rencontré plusieurs chefs d'État pour intensifier la lutte contre Daech. Jeudi, après son entretien avec Vladimir Poutine, à Moscou, il a annoncé que les deux pays allaient désormais coordonner leurs frappes en Syrie. Vendredi, le ministre des Affaires étrangères Laurent Fabius déclarait que la coopération contre Daech de toutes les forces syriennes, y compris de l'armée syrienne, était souhaitable. À l'issue de cette semaine, quel regard portez-vous sur la politique syrienne du gouvernement français ?*

Cette politique est saisissante par sa radicale nouveauté. L'époque n'est pas si lointaine où François Hollande et des gens de son entourage expliquaient que « la Syrie est notre guerre d'Espagne » et qu'il fallait faire tomber le régime de Bachar el-Assad coûte que coûte. En tenant ce propos empreint d'un romantisme dont la référence historique était par ailleurs assez fausse, on a, sans s'en rendre compte et par méconnaissance du Moyen-Orient, ouvert la porte à des opérations qui ont abouti à Daech et au djihadisme, au fur et à mesure de la décomposition des révolutions arabes. Aujourd'hui, parce que Daech a frappé l'Hexagone avec force, en janvier avec les tueries de *Charlie Hebdo* et de l'Hyper Cacher puis le 13 novembre, la France fait volte-face et place la lutte contre Daech avant la volonté d'en finir avec le régime d'Assad.

Paradoxalement, c'est à Moscou que François Hollande a prononcé la déclaration qui montrait le plus grand accord avec un autre chef d'État, en l'occurrence Vladimir Poutine. Il n'a pas reçu beaucoup de soutien des États-Unis ni de l'Allemagne. En Russie, les deux présidents ont été jusqu'à envisager des partages de cartes, indiquant entre autres les positions de l'opposition non djihadiste, ce qui a offusqué cette dernière dont les dirigeants redoutent que les Russes n'en usent pour les bombarder. La situation est d'autant plus brouillée que le jour même où Laurent Fabius expliquait que la France allait peut-être coopérer avec une armée gouvernementale syrienne, le ministre de la Défense Jean-Yves Le Drian, dans une interview au quotidien britannique *The Guardian*, réitérait la nécessité du départ de Bachar el-Assad. Au moment où la France jouit d'une position internationale de premier plan avec l'arrivée massive de chefs d'État pour la COP21, sa parole diplomatique, même si elle est écoutée du fait de sa victimisation, apparaît très peu audible.

— Jeudi, à l'issue de sa rencontre avec François Hollande, le président Poutine a reproché à la Turquie de ne pas empêcher Daech de tirer d'importants dividendes du

trafic de pétrole. Selon vous, la Turquie ne fait-elle pas assez d'efforts pour lutter contre Daech ?

Cette accusation est récurrente. Quand on travaille un peu sur les ressources de l'État islamique, on voit bien que l'exportation d'hydrocarbures y contribue grandement. Un ancien patron de la CIA (Central Intelligence Agency) a déclaré que les États-Unis ont refusé, au moins jusqu'au 13 novembre, d'attaquer les camions-citernes se dirigeant vers la Turquie, et même vers les territoires sous l'autorité du régime d'Assad, ainsi que les forages qu'exploite Daech en Syrie, afin d'éviter une catastrophe écologique et de faire en sorte que, lorsque Daech serait éliminé, ces infrastructures puissent de nouveau servir. Cette vision du monde des plus paradoxales conduit les États-Unis à traîner des pieds pour reconnaître le réchauffement climatique et prendre prétexte de motifs environnementaux pour exclure de bombarder les puits de pétrole contrôlés par Daech en Syrie.

DÉCEMBRE 2015

6 décembre

San Bernardino :
djihadistes ou « mass killers » ?

— *Mercredi, un massacre dans un centre social de San Bernardino, en Californie, a fait quatorze morts et vingt et un blessés. Ses auteurs, un couple, ont été tués par la police. Le FBI (Federal Bureau of Investigation) a affirmé privilégier l'hypothèse d'un attentat terroriste, et les autorités américaines étudient une page Facebook sur laquelle Tashfeen Malik, la femme, aurait fait allégeance à l'État islamique. Cette attaque est-elle comparable à celles du 13 novembre en France ?*

Dans une certaine mesure seulement, car il ne s'agit pas là de gens qui ont séjourné dans le territoire de Daech, à la différence d'Abaaoud et de ses acolytes. Si les éléments dont on dispose sont confirmés, on a

néanmoins affaire à un phénomène qui s'inscrit dans
ce que j'appelle le djihadisme de troisième génération :
des individus prennent en main leur passage à l'acte
en se référant à des données trouvées sur Internet qui
leur permettent de décider par eux-mêmes de la façon
de mettre en œuvre le djihad armé. Aux États-Unis, ce
n'est pas une nouveauté puisque le principal concepteur
de ce *homeground djihad*, ou « djihad à domicile », est
un Américain d'origine yéménite, Anwar al-Awlaki, qui
parlait parfaitement anglais et a été éliminé par un drone
de la CIA au Yémen le 30 septembre 2011. Il avait créé
une revue en ligne, *Inspire*, qui expliquait notamment
comment fabriquer une bombe avec une cocotte-minute
dans la cuisine de sa maman. Un major du corps médi-
cal américain d'ascendance palestinienne, Nidal Malik
Hasan, influencé par ces textes, avait déjà ouvert le feu
sur des militaires dans une caserne en novembre 2009,
en tuant treize et en blessant plus de trente.

L'opération de San Bernardino n'est donc pas inédite, mais c'est la première à susciter un tel retentissement. Aux États-Unis, ce type de fusillade concerne
d'habitude des gens qui tirent sur tout le monde,
souvent dans des universités, de façon indifférenciée, parfois sans mobile apparent ou sous l'emprise
d'une secte, et que l'on appelle des *mass killers*. La
tuerie de San Bernardino est une sorte d'hybrida-
tion : elle s'inscrit dans la logique américaine de ce
genre d'acte tout en se réclamant du djihad. Il est du
reste intéressant de constater que le président Obama
a d'abord réagi, de même que le *New York Times*,

sur le problème de la vente libre des armes à feu et non sur la question djihadiste. L'Amérique a une tendance à s'estimer immune depuis que la cible, telle qu'elle apparaît dans la théorie d'Abu Musab al-Suri et du djihadisme de troisième génération dont nous avons déjà beaucoup parlé dans ces chroniques, est l'Europe, point faible de l'Occident, et non plus l'Amérique comme au temps d'al-Qaida.

— *Le sénateur de Floride Marco Rubio a moqué Barack Obama parce que ce dernier refusait d'utiliser l'expression « islamisme radical » et a centré son allocution d'hier sur le port d'armes. Barack Obama a-t-il adopté une attitude particulière vis-à-vis du terrorisme ?*

Le président Obama est extrêmement prudent sur la question de l'islamisme radical. Son entourage ne le pousse pas à aller dans ce sens, mais il faut aussi remarquer que, comme en France du reste, la tragédie de San Bernardino est immédiatement devenue un enjeu électoral.

— *Pensez-vous que l'État islamique recrute de la même manière en Europe et aux États-Unis ?*

Le recrutement de Daech aux États-Unis est assez faible, car très compliqué. De chez nous, il est possible de se rendre en camping-car en Syrie en prenant un ferry *via* la Turquie. À l'inverse, l'Amérique est très éloignée du champ de bataille, qui ne constitue donc pas un djihadisme de semi-proximité, comme c'est le cas pour l'Europe. Néanmoins, Internet est sans frontières, et les réseaux sociaux se jouent des distances.

— *Selon vous, cette attaque marque-t-elle un tournant dans l'histoire du terrorisme aux États-Unis ?*

Elle marque en tout cas un renouveau qui croise une tradition proprement américaine avec le djihadisme de troisième génération.

13 décembre

La Libye, État failli

— *Gilles Kepel, vous êtes avec nous par téléphone depuis Rome, où se tient aujourd'hui une conférence organisée par l'Italie et les États-Unis pour tenter d'accélérer la formation d'un gouvernement d'union en Libye. Quel est votre regard sur l'action de la communauté internationale dans la gestion de la crise libyenne ?*

Depuis Rome, ce sujet est fondamental puisque l'Italie est l'ancienne puissance coloniale de la Libye, et que c'est aussi à partir de cet État désormais si complètement failli qu'il a même disparu que partent les barques surchargées de migrants africains qui essaient de rejoindre l'île de Lampedusa et parfois s'abîment en mer. C'est le symbole du désastre humanitaire et de la passoire que représente l'Union européenne, l'un des enjeux les plus graves pour l'UE.

Sur le terrain, la situation est beaucoup plus complexe que ce que les bonnes paroles de la communauté internationale laissent à penser. La faillite de l'État libyen post-Kadhafi s'est opérée selon des lignes de fracture pétrolières. Chaque tribu ou conglomérat de familles contrôle une fraction de territoire où se trouvent des champs d'hydrocarbures ou des pipelines. Le brut libyen, d'excellente qualité et à faible teneur en soufre, nécessite peu de raffinage et est produit à proximité des côtes européennes. De ce fait, chaque faction estime qu'elle possède un morceau du gâteau et qu'il vaut mieux vendre celui-ci directement plutôt que de s'unir avec les autres tribus dans un État qui répartirait la rente à l'aide d'une clé opaque, tant les rapports de force sont complexes. Sur de telles prémisses, on ne voit pas comment progresser.

S'ajoute à cela que ces factions ne constituent pas seulement des regroupements d'individus qui contrôlent un territoire, mais sont infiltrées pour certaines par Daech depuis l'effondrement de l'État. La ville de Syrte, ancienne capitale du kadhafisme, où je me suis rendu peu après la chute du dictateur pour connaître le lieu où il avait été assassiné et dont j'ai fait la description dans mon livre *Passion arabe*, est devenue le symbole des horreurs commises par Daech. Malheureusement, tous les gens qui m'avaient accueilli à l'époque ont été égorgés par les islamistes ou tués à coups de mitraillette

dans des attentats. Aujourd'hui, Daech souhaite diver-
sifier ses opérations par rapport à la Syrie, son bastion,
en mettant en place une sorte de base arrière en Libye,
à partir d'où il pourrait attaquer l'Europe, soit en infil-
trant des groupes de réfugiés, soit en lançant des actions
hostiles, en utilisant des missiles, par exemple.

La crise libyenne comporte donc aussi un enjeu de
sécurité. Nous pouvons en outre observer l'effondrement des diplomaties européenne et internationale,
incapables de prendre la mesure de l'État islamique.
On sait comment la France de Sarkozy, l'Angleterre de
Cameron et l'Amérique d'Obama, *leading from behind*,
en « dirigeant par l'arrière », avaient réussi à faire tomber le régime de Kadhafi par des bombardements
coordonnés. Il semble évidemment incompréhensible
que les puissantes armées de l'air et les marines occidentales ne soient pas en mesure d'aller détruire les
modestes places fortes de Daech à Syrte[1].

— *En un mot, que faudrait-il faire selon vous pour
empêcher la progression de l'État islamique en Libye ?*

La même chose qu'en Syrie. Tant que les contradictions entre les membres de l'alliance seront plus
importantes que celles entre Daech et elle, cette organisation persistera.

---

1. Le réduit de Daech à Syrte n'est tombé qu'en août 2016, après
de violents combats accompagnés de bombardements américains.

20 décembre

L'ONU et la Syrie : impuissance des puissances

— *Vendredi, les quinze membres du Conseil de sécurité de l'ONU ont adopté à l'unanimité une résolution appelant à un cessez-le-feu en Syrie. Le texte prévoit la mise en place d'une transition politique, et le secrétaire des Nations unies, Ban Ki-moon, est convié à réunir les représentants du gouvernement syrien et de l'opposition dès le mois prochain. Selon vous, le vote de cette résolution est-il en mesure d'aboutir à un cessez-le-feu ?*

Mieux vaut une mauvaise résolution que pas de résolution du tout. L'impuissance de l'ONU était consternante et disait bien l'incapacité de cette organisation à être en prise avec des conflits qui dépassent aujourd'hui sa mission fondamentale telle qu'elle lui avait été assignée après la Seconde Guerre mondiale. Mais de l'adoption d'une résolution à sa mise en œuvre il y a un gouffre, dont on se demande comment il pourra être franchi. En termes politiques, il s'agit d'une avancée considérable pour l'Iran et le camp qui défend Bachar el-Assad, puisque la question de son élimination, dont on faisait un préalable, notamment en France, n'est plus évoquée.

— *À votre avis, faut-il soutenir l'action que mène l'Arabie saoudite lorsqu'elle reçoit des membres du Front al-Nosra, qui se réclament d'al-Qaida et que l'on appelle les « djihadistes modérés », et qu'elle tente de monter une coalition de pays sunnites affranchis de la politique américaine ?*

Cela dépend des clarifications que l'Arabie saoudite apportera à son engagement, puisque la bonne volonté des dirigeants saoudiens est très affichée depuis qu'ils sont menacés par Daech, y compris sur leur territoire. En revanche, la question des financements provenant des pétromonarchies du Golfe pour ce genre de groupe doit être démêlée. Il y a eu beaucoup de polémiques après le 13 novembre, notamment lors de la fameuse sortie du journaliste et écrivain algérien Kamel Daoud : « L'Arabie saoudite est un Daech qui a réussi. » Cela fait partie du débat.

27 décembre

La terreur et le terreau

— *Votre ouvrage intitulé* Terreur dans l'Hexagone *a suscité énormément de réactions. Vous attendiez-vous à un tel écho ?*

Peut-être pas à ce point. Le livre est paru à un moment où, après l'année 2015, *Charlie Hebdo* et le

13 novembre, tout le monde considérait qu'il fallait absolument prendre en compte la question du djihad français. On ne pouvait plus faire comme s'il n'existait pas. J'ai voulu montrer son inscription dans un terreau : celui de nos banlieues populaires. Cela fait déjà longtemps que je travaille sur ces sujets. Au début de 2012, j'ai publié *Quatre-vingt-treize*, une enquête sur la Seine-Saint-Denis et la manière dont l'islamisation s'y est développée dans des quartiers désertés par l'action politique, notamment de la gauche et du parti communiste, puis, au début de 2014, *Passion française*, une autre enquête de terrain dans laquelle j'ai pénétré profondément dans le tissu social, politique et religieux de Roubaix et des cités marseillaises à partir d'interviews de candidats issus de l'immigration aux élections législatives de 2012. Ces enquêtes n'avaient eu qu'un faible écho dans la presse, certaines autruches médiatiques préférant le déni à la réalité[1].

— *Marine Le Pen a réagi à un entretien que vous avez accordé à Jean-Jacques Bourdin sur RMC dans lequel le journaliste vous interroge sur ce que vous appelez la « congruence » entre la montée de l'extrême droite en France et celle du djihadisme. Dans la foulée, elle a posté sur son compte Twitter trois photos d'exécutions atroces de Daech.*

---

1. Le quotidien *Le Monde* a même été jusqu'à censurer l'entretien que je lui avais accordé au sujet de mon livre *Passion française* en avril 2014 au prétexte qu'il « ne fonctionnait pas » (*sic*). Les œillères de l'idéologie l'avaient emporté sur un travail de terrain qui bousculait les confortables certitudes.

Cette réaction très curieuse témoigne d'une sorte de phénomène d'hystérisation qu'a causé la publication de mon livre, alors même que celui-ci n'est en rien polémique, mais au contraire rationnel et analytique. J'ai essayé d'identifier les faisceaux qui concordent pour aboutir au djihad français et le contexte dans lequel il surgit, la fameuse *congruence* — et je suis fier d'avoir contribué à refaire circuler ce mot dans la langue française. Ce que j'ai voulu dire n'est nullement que le Front national et Daech sont équivalents, mais que, comme on peut le constater en décryptant les vidéos de recrutement des djihadistes et en les comparant avec ce que l'on peut voir sur des sites Internet comme « Égalité et Réconciliation » d'Alain Soral, le mode narratif des grands récits qui structurent leur vision globale du monde présente des homothéties, des ressemblances. Ils s'articulent avec l'édification de barrières, identitaires ou communautaires, qui excluent l'autre à partir d'arguments ontologiques : ethno-racial contre religieux, vrai Français contre faux Français, bon musulman contre apostat ou mécréant[1].

Le défi, très profond, est culturel, et non plus politique à proprement parler, le système électoral et représentatif ne semblant plus en mesure de prendre en

---

1. On verra plus loin (voir p. 213) un autre exemple frappant de cette congruence entre les textes de la mouvance soralienne et ceux de Rachid Kassim, djihadiste de Daech basé dans le « califat », inspirateur des attentats de 2016.

charge les ruptures sociales. À sa place, c'est la culture, voire la religion, qui s'empare du malaise social et le traduit dans son vocabulaire en propageant une fracture qui, si l'on n'y prend garde, ruinera l'unité de la nation.

JANVIER 2016

3 janvier

Déchéance de nationalité

— La mesure portant sur l'extension de la déchéance de nationalité aux binationaux nés français fera partie du projet de loi constitutionnelle de protection de la nation qui sera soumis prochainement au Parlement. Selon vous, est-ce une bonne ou une mauvaise chose pour lutter contre le terrorisme ?

Certains binationaux d'ores et déjà déchus de la nationalité française sont en prison. On ne peut les expulser parce que, dans leur pays d'origine, leur vie serait en danger. La Cour européenne des droits de l'homme l'interdit. De plus, si l'on veut s'en prendre aux djihadistes de Daech, pourquoi ne toucher que ceux qui détiennent une seconde nationalité et pas les convertis exclusivement français « de souche », qui commettent autant d'exactions, sinon plus. C'est là un problème juridique, on rompt l'égalité devant la loi, et il aurait fallu consulter les spécialistes, les professeurs de droit.

— Il convient peut-être de rappeler qu'il s'agit d'étendre la possibilité de déchoir de leur nationalité française des individus condamnés pour des crimes terroristes à tous les binationaux, y compris ceux nés français et non plus seulement ceux ayant acquis la nationalité française, ce qu'autorise déjà le Code civil. À votre avis, quelle est la portée symbolique de cette mesure pour le gouvernement ?

À force d'entendre que tels ou tels Français, voire des milliers de Français commettent des actes terroristes contre leur propre pays, on pourrait penser que certains d'entre eux ne sont finalement que des Français « de papier ». Mais à partir du moment où ils ont été admis dans la nationalité française par leur naissance sur le sol ou par le droit du sang, nous sommes face à une question préoccupante, car ce sont nos concitoyens qui agissent de la sorte. Surtout, je vois dans ce projet une erreur de calcul politique assez grave puisque les massacres du 13 novembre, contrairement à ceux de janvier, ont touché tout le monde sans discrimination. Un grand nombre de ceux qui, en janvier, n'avaient pas voulu s'identifier aux victimes s'y sont ralliés, qu'ils aient été français ou non. Ils se sont sentis, sans doute pour la première fois, français par le sang versé, comme à la guerre, parce qu'ils étaient visés par les attentats, y compris les jeunes musulmans tués comme les autres aux terrasses de cafés ou au Bataclan.

Cette mesure est pour l'instant plébiscitée par l'opinion. Elle permettra peut-être au président Hollande de gagner quelques points dans les sondages. Sur le fond, je crois que c'est un mauvais expédient, qui aura des effets retour désastreux s'il est adopté. Je regrette que, s'agissant de sujets aussi centraux et qui concernent tellement profondément notre société, notre tissu social, cela n'ait pas fait l'objet d'un débat mieux argumenté.

— La semaine qui s'ouvre sera marquée par les commémorations des attentats des 7, 8 et 9 janvier 2015 à Charlie Hebdo, *Montrouge et à l'Hyper Cacher. Quel sera selon vous le sens politique de ces commémorations pour le gouvernement ?*

C'est surtout pour la société française, pour l'unité de la nation que cette commémoration sera importante. La manifestation du 11 janvier 2015, la plus grande de l'histoire de France, avait révélé une fracture entre ceux qui disaient #JesuisCharlie et ceux qui, soit qu'ils n'avaient pas compris les enjeux essentiels, soit à dessein, disaient #JenesuispasCharlie. Le 13 novembre, rien de tel ne s'est produit. C'est cette unanimité de la nation qu'il est important de retrouver, car elle est primordiale pour combattre le terrorisme. N'oublions pas que Daech veut briser la France et, au cœur de la fracture, enfoncer un coin jusqu'à susciter une guerre civile.

6 janvier

De janvier à novembre,
vicissitudes du djihad

— Revenons sur les attaques de janvier et novembre et tentons de comprendre en quoi elles révèlent une évolution de Daech. Que pouvons-nous inférer de ces attentats ?

En 2015, la France a été endeuillée deux fois par l'organisation État islamique, une première fois au mois de janvier puis par cette réplique qui a eu lieu le 13 novembre. Dans les deux cas, Daech envoie des assassins mettre en œuvre un djihad sur notre sol pour déstabiliser la société française dans l'objectif de la faire imploser, de susciter en son sein une fracture s'ouvrant jusqu'à une guerre civile, et enfin, dans son fantasme, d'établir un califat islamiste sur ses ruines. Cependant, le mode opératoire très différent des deux attentats révèle un certain nombre de vicissitudes dans la logique djiha-diste, ainsi que dans sa capacité à réaliser ses intentions.

Au mois de janvier, les victimes étaient précisément ciblées. Il s'agissait, dans le cas des dessinateurs de *Charlie Hebdo*, d'individus stigmatisés comme « islamo-phobes » à cause des caricatures du prophète Mahomet. Le policier Ahmed Merabet était quant à lui vilipendé comme apostat, c'est-à-dire comme un traître à l'is-lam, dont le sang est licite selon les islamistes radicaux, puisqu'il portait l'uniforme français. Enfin, les clients juifs du supermarché Hyper Cacher étaient anathématisés comme suppôts d'Israël et donc ennemis de l'islam. Les grandes manifestations de janvier qui ont suivi ont mobilisé la rue comme jamais auparavant dans l'histoire de France, mais elles ont aussi divisé la société, ce qui a fait couler beaucoup d'encre de part et d'autre.

Les attentats de novembre, même s'ils procèdent de la même logique globale, ont été réalisés différemment. Le communiqué de revendication émis par l'État islamique explique qu'il cherchait à punir la nation française dépravée, ciblée dans son ensemble, de manière indiscriminée. Ceux qui ont été assassinés aux terrasses des restaurants et cafés des Xe et XIe arrondissements, dans la salle du Bataclan et, à plus forte raison, ceux qui devaient être tués au Stade de France représentent la nation dans toutes ses composantes, en particulier sa jeunesse, et de nombreux jeunes originaires de l'immigration ont trouvé la mort. De ce fait, un type différent de réaction aux massacres s'est produit. La fracture observée à l'occasion de la manifestation du 11 janvier ne s'est pas du tout prolongée en novembre. Au contraire, s'est exprimée une sorte d'unité absolue, les seuls à s'être déclarés solidaires d'Abdelhamid Abaaoud et des autres meurtriers étant des sympathisants convaincus de Daech.

La leçon à en tirer est que le mode opératoire du djihadisme de troisième génération, celui de l'État islamique, consiste à s'appuyer sur des individus issus de la base, qui échappent à la surveillance de la police, ont été parfois formés en Syrie, mais qui prennent eux-mêmes en charge l'organisation des attentats. Ce ne sont pas d'excellents politiques ni de fins tacticiens. L'objectif du terrorisme islamiste est double : sidérer l'ennemi et recruter des sympathisants. La sidération a eu lieu, mais le recrutement, en tout cas pour le 13 novembre, est un échec. En ce sens, on peut se demander si Daech n'est pas allé trop loin, et si l'on n'assiste pas à un début de déclin de leur efficacité opératoire, comme cela s'était produit précédemment avec les deux premières générations du djihad incarnées par le GIA (Groupe islamique armé) algérien dans les années 1990, puis al-Qaida dans les années 2000.

13 janvier

Istanbul frappée

— *Un attentat a été perpétré hier à Istanbul en Turquie. Comment l'analysez-vous ?*

Cet attentat démontre que la Turquie se trouve désormais au cœur du phénomène djihadiste qui s'étend de l'Europe au Moyen-Orient en passant par le Maghreb. On savait déjà qu'Istanbul est devenue la plaque tournante des djihadistes qui partent de France, de Belgique et d'ailleurs, passent ensuite la frontière turco-syrienne, se forment dans les camps de l'État islamique, restent éventuellement à Rakka ou reviennent en Europe pour y commettre des massacres, comme on l'a vu en novembre à Paris. On savait aussi qu'Istanbul est la ville où transitent un très grand nombre de réfugiés syriens tentant de gagner l'Europe, en particulier l'Allemagne.

Cette situation avait été observée avec une certaine inquiétude en Europe, où l'on s'interrogeait sur le rôle réel joué par Ankara. Combat-elle l'État islamique ou laisse-t-elle faire ? Soutient-elle en sous-main un groupe aux prises avec les Kurdes qui sont ses principaux ennemis ? Dans le nord de la Syrie, la frontière de plusieurs centaines de kilomètres avec la Turquie est aujourd'hui en grande partie sous le contrôle de rebelles kurdes syriens, le PYD (parti de l'union démocratique), étroitement lié au PKK, le parti indépendantiste kurde de Turquie. L'existence d'une zone kurde qui échapperait à l'autorité syrienne, ou à ce qu'il en reste, et qui serait en contact avec les Kurdes du sud de la Turquie, auxquels ils feraient passer armes et munitions, représente un cauchemar et un risque politico-militaire pour Ankara. De ce fait, le pouvoir islamo-conservateur de Recep Tayyip Erdoğan a, à tout le moins, fermé les yeux sur les apprentis djihadistes qui vont en Syrie et en reviennent.

— *Cette ambiguïté est-elle toujours de mise ?*

Depuis l'été 2015, la Turquie est soumise à une vive pression de ses alliés pour entrer véritablement dans la coalition contre l'État islamique, qui va de l'Iran à la Russie et de l'Arabie saoudite aux pays européens. Tous doivent faire taire leurs divergences internes et leurs contradictions secondaires pour privilégier la lutte contre Daech, l'ennemi principal. L'annonce par l'Arabie saoudite, le 2 janvier, de l'exécution de cent quarante-sept personnes, dont quatre chiites parmi lesquels le dignitaire religieux Nimr Baqer al-Nimr, suivie de la rupture des relations diplomatiques entre Riyad et Téhéran, a porté un coup sérieux à ladite coalition. De son côté, la Turquie s'est davantage impliquée dans le combat contre Daech ces dernières semaines. D'une certaine manière, l'État islamique a riposté par un avertissement avec le massacre d'Istanbul.

L'attentat a été commis au cœur de la zone touristique et a tué des Allemands, au moment même où l'Allemagne connaît un vif débat sur l'accueil des réfugiés après les événements de la nuit de la Saint-Sylvestre (voir p. 131)[1]. Ce quartier est aussi le lieu de l'identité musulmane de la région, le symbole de la conquête islamique, avec la Mosquée bleue et Sainte-Sophie, l'ancienne cathédrale byzantine transformée en mosquée puis en musée par Atatürk. Mais cet espace a été remodelé par Erdoğan pour en faire l'emblème de la nouvelle Turquie de l'AKP, de son affichage islamiste et de sa volonté hégémonique, néo-ottomane, sur le

---

1. Des centaines de femmes allemandes ont été volées, molestées ou agressées sexuellement par des individus en grand nombre issus de l'immigration nord-africaine.

Moyen-Orient. Cette politique est aujourd'hui frappée au cœur par Daech, qui a un projet califal concurrent.

— *En conclusion, quelles peuvent être les conséquences de cet attentat ? Selon vous, va-t-il modifier la politique turque ?*

Il place surtout le président Erdoğan en porte à faux. C'est sa capacité à maintenir l'ordre qui est remise en cause, cela même sur quoi son parti a finalement remporté les élections législatives de novembre 2015. Les pressions européennes devraient s'intensifier, en particulier depuis l'Allemagne, où vivent plus de trois millions et demi de personnes d'origine turque et où le débat sur la Syrie, on l'a vu, est vif. La France semblait être le pays le plus touché par les attentats de l'État islamique. Aujourd'hui, cela risque de devoir s'étendre à l'ensemble du continent.

20 janvier

Daech : ubiquité ou fuite en avant ?

— *Après Istanbul et Djakarta, en Indonésie, un attentat a été perpétré à Ouagadougou, au Burkina Faso. L'ubiquité de Daech vous semble-t-elle être un signe de force ou de faiblesse ?*

En apparence, c'est un signe de force puisque l'organisation terroriste djihadiste s'affiche sur toute la planète et donne le sentiment qu'elle frappe où elle veut, quand elle veut. Nous aurions pu ajouter à votre énumération cet adolescent kurde de quinze ans qui, le 11 janvier, en pleine rue à Marseille, a blessé avec une machette un homme portant une kippa, professeur dans une école juive. En réalité, la situation est plus complexe. Le terrorisme djihadiste, comme n'importe quelle autre forme de terrorisme, est doté d'une économie politique propre : il faut non seulement qu'il terrorise ses adversaires, qu'il leur fasse mal, les sidère, les démoralise, mais qu'il permette de recruter des sympathisants. Qu'en est-il à Djakarta, à Istanbul ou à Ouagadougou ? On a le sentiment que, pour Aqmi (al-Qaida au Maghreb islamique), Daech et tous ces mouvements qui se réclament d'une même nébuleuse, il est primordial de commettre des attentats afin de démontrer leur capacité de nuisance et, par cela, enrôler des combattants, pas nécessairement en grand nombre, mais suffisamment pour lancer de nouvelles attaques, dans l'espoir qu'un jour se produise le basculement des masses musulmanes en leur faveur.

Sur le terrain, en Irak et en Syrie, malgré les divisions au sein de la coalition, notamment entre l'Arabie saoudite et l'Iran, les frappes aériennes font la preuve d'une certaine efficacité, si bien que la zone contrôlée par l'État islamique rétrécit. Le massacre perpétré à Istanbul s'est traduit par un renforcement de la pression turque sur les territoires du « califat ». On a appris récemment par des fuites que les salaires versés par Daech aux gens qui travaillent pour lui ont été considérablement réduits. À Rakka, où sont concentrés tant de djihadistes français, les conditions d'existence deviennent de plus en plus difficiles. Daech empêche la diffusion de toute image de la vie dans les zones qu'il contrôle à l'exception de la propagande qu'il produit lui-même. C'est pour cela, par exemple, que des opposants syriens au régime de Bachar el-Assad, qui sont aussi des opposants virulents de Daech et avaient mis en ligne les exactions perpétrées sous le sigle « Raqqa se fait égorger en silence », ont été décapités dans les villes turques où ils s'étaient réfugiés. En ce sens, la multiplication des attentats donne le sentiment d'une fuite en avant. Il faut être présent, montrer que l'on peut tuer, mais est-on réellement capable de mobiliser les masses ? Il est aujourd'hui permis d'en douter.

— *L'État islamique n'aurait-il plus la possibilité de convertir de nouveaux fidèles à sa cause ?*

Pour l'instant, le flux des personnes radicalisées qui partent de France pour rejoindre le djihad irako-syrien ne tarit pas, mais on ne sent pas d'expansion du phénomène. Le terrorisme s'use très rapidement. Si les attentats se multiplient, mais qu'ils ne rassemblent pas suffisamment de sympathisants, si leur courbe de croissance n'est pas exponentielle, ils perdent de leur intensité et finissent par se retourner contre ceux qui les perpètrent.

— *L'attentat d'Istanbul comme ceux de Paris peuvent avoir pour effet d'amoindrir le flux des touristes avec un impact économique important. N'en mesurons-nous pas déjà les conséquences en France ?*

Certes, mais ce n'est pas forcément productif pour les terroristes. Voyez le cas de l'Égypte, en novembre 1997, quand a eu lieu l'attaque du temple de la reine Hatshepsout, à Louxor, qui a fait soixante-sept victimes. Les familles qui tiraient leurs revenus du tourisme, quasiment toute la Haute-Égypte, s'en sont prises aux djihadistes et ont asséché le milieu où ils frayaient comme poissons dans l'eau. De l'extérieur, on a l'impression que le terrorisme est simple : on se met à trois, on pose une bombe, et l'on obtient un gigantesque retour sur investissement. Mais les effets secondaires sont extrêmement difficiles à anticiper et exigent une grande maîtrise du temps politique.

27 janvier

L'Iran redevient-il fréquentable ?

— *Que vous inspire la réintroduction de l'Iran dans la communauté internationale ?*

La venue du président iranien Hassan Rohani à Paris est très frappante. Alors que nos dirigeants ont longtemps regardé avec suspicion le retour de l'Iran sur le devant de la scène et compté parmi les négociateurs les plus intransigeants sur la question du nucléaire, on adopte aujourd'hui une tout autre ligne, qui accompagne ce qui a été mis en musique par les États-Unis.

La politique américaine menée par le président Obama a cela de paradoxal qu'elle s'inscrit dans la suite de ce qu'avaient initié les néoconservateurs de l'entourage de George W. Bush. Après les attentats du 11 septembre 2001, ces derniers avaient incriminé l'Arabie saoudite, alliée depuis 1945 dans le contrôle de la production pétrolière du Moyen-Orient qui devait fournir des hydrocarbures à l'Occident pour assurer son développement et lui permettre de tenir face à l'Union soviétique pendant la guerre froide.

Après la découverte que quinze des dix-neuf auteurs de la « double razzia bénie » contre New York et Washington le 11 septembre 2001 étaient des ressortissants saoudiens, les néoconservateurs avaient réorienté la politique américaine dans la région vers l'Irak chiite, avec un double objectif : favoriser la production irakienne pour contrebalancer le rôle de « producteur élastique » de l'Arabie saoudite sur le marché pétrolier mondial, et promouvoir le chiisme irakien au détriment du sunnisme dont Saddam Hussein était le plus haut représentant local, à nouveau au détriment de l'Arabie saoudite, grand pays sunnite. Ils espéraient aussi que les chiites iraniens voisins seraient en quelque sorte contaminés par leurs coreligionnaires proaméricains d'Irak, et que cela ferait finalement basculer l'Iran dans le camp occidental. Il n'en fut rien, et cette politique échoua.

Le retrait des Américains d'Irak livra le pays à son voisin iranien, pourtant le pire ennemi des néoconservateurs. Tirant les leçons de cet échec, le président Obama s'adresse désormais directement au patron du chiisme, l'Iran. C'est par la réintroduction directe de la République islamique dans la communauté internationale qu'il compte modifier les équilibres de la région. Les États-Unis espèrent que l'Iran pourra faire contrepoids à une Arabie saoudite que l'on soupçonne toujours à Washington et dans d'autres capitales occidentales d'être le fourrier du salafisme, dont dérive le djihadisme.

— *Est-ce une manœuvre habile selon vous ?*

Elle a au moins le mérite de la cohérence. La réintroduction de l'Iran sur la scène diplomatique obéit à une véritable stratégie de long terme. Or celle-ci ne s'inscrit pas en droite ligne avec la diplomatie française. Il en va différemment dans les milieux économiques : Air France va rouvrir son vol direct Paris-Téhéran à la fin du mois d'avril (voir p. 157), et un certain nombre d'hommes d'affaires sont désireux de se tourner vers l'Iran. Rater son ouverture, ne pas parier sur les transformations possibles d'une classe moyenne extrêmement dynamique et assez distante par rapport à la

classe politique dominante seraient autant d'aveux de
cécité devant les bouleversements du Moyen-Orient,
même si l'Iran apporte toujours un soutien sans faille
au régime de Bachar el-Assad.

FÉVRIER 2016

3 février

La Turquie, plaque tournante

— *Gilles Kepel, vous êtes au téléphone depuis Istanbul, une ville où se croisent djihadistes et réfugiés syriens. N'assiste-t-on pas à une redéfinition de la géopolitique méditerranéenne ?*

Par rapport à Calais et à sa tristement célèbre « jungle », Istanbul est située à l'autre bout de la chaîne des flux de migrants et de réfugiés du Moyen-Orient. La ville est coupée par le Bosphore, le corridor maritime qui sépare l'Asie de l'Europe, ou l'Orient de l'Occident. Il est aujourd'hui franchi quotidiennement, dans les deux sens, à la fois par des djihadistes partis d'Europe pour rejoindre le front syrien et par des réfugiés qui passent par ici ou par les plages

turques pour gagner les îles grecques et l'Union européenne.

Autrefois, on venait en Turquie pour faire du tourisme. Aujourd'hui, il n'est plus question du « voyage
bleu », du cabotage en caïque dans ses criques enchan-
teresses sur la mer Égée : la côte turque, comme beaucoup de rivages méditerranéens, sans parler bien sûr
du littoral libyen, extrêmement dangereux à cause
de la présence de Daech, est devenue une frontière
problématique de l'UE. Au départ, la politique européenne dite de « voisinage » en direction des pays du
sud et du sud-est de la Méditerranée misait sur la
coopération, et encourageait des mesures de substi-
tution à l'immigration par l'aide au développement.
Aujourd'hui, tout cela est bouleversé par les migra-
tions massives ainsi que par l'arbitrage difficile entre
des principes humanistes d'aide aux réfugiés et la hantise de flux incontrôlés.

En Allemagne, où je me trouvais il y a peu, on ne
parle que des problèmes liés aux migrants, comme les
agressions sexuelles et les vols et violences commis
contre des femmes à Cologne et dans d'autres grandes
villes d'Allemagne (voir p. 131). Un diplomate grec
me faisait part hier du désarroi de son pays face à un
phénomène migratoire qu'il est incapable de contrôler
dans les îles de la mer Égée voisines de la côte turque,
comme Lesbos. Ce problème majeur pose la question
de la cohésion européenne et de la solidarité entre les
États membres de l'UE.

— Quels sont selon vous les scénarios possibles pour le futur ?

On a vu qu'un certain nombre d'accords ont été passés entre la Turquie et la France, notamment pour que les individus revenant du djihad syrien soient interceptés par la police turque et remis aux autorités françaises. Pour autant, l'angélisme n'est pas de mise : on sait bien que beaucoup de gens passent à travers les mailles du filet, qu'ils soient immigrés clandestins, demandeurs d'asile ou djihadistes.

La Turquie se montre très jalouse de sa souveraineté, mais elle espère toujours négocier en position de force avec l'UE, même si la perspective de son adhésion s'éloigne à présent. D'une certaine manière, elle aspire, sous la houlette de l'AKP, à retrouver un statut de grande puissance dans le jeu moyen-oriental comme à l'époque de l'Empire ottoman. Mais elle s'expose aussi à un retour de manivelle : sur son territoire même, dans le sud-est du pays, le long de la frontière du côté de la Syrie, des implantations de djihadistes menacent sa sécurité. Cela se combine avec la résurgence de la question kurde et la violence des affrontements entre le PKK et l'armée turque, qui posent de nombreux problèmes, y compris de sécurité intérieure, à un pays qui se targuait jusqu'alors d'être la force avancée de l'Otan au Moyen-Orient.

— On a l'impression que le gouvernement Erdoğan est décidé à lutter contre les djihadistes présents sur son

territoire, ce qu'il n'a pas forcément toujours fait. A-t-il les moyens d'agir aujourd'hui ?

On assiste à un renforcement considérable de l'action des services de sécurité en Turquie devant l'enjeu djihadiste. La frontière est aujourd'hui filtrée, ce qui transfère ailleurs les problèmes, beaucoup de djihadistes, cachés dans cette immense jungle urbaine qu'est devenue Istanbul, avec ses seize millions d'habitants, attendant de pouvoir passer en Syrie ou de rentrer en Europe. Tout cela soulève bien des questions relatives à la sécurité, comme l'a montré l'attentat commis par Daech devant la Mosquée bleue le 12 janvier (voir p. 115). Cela signifie que si l'UE continue de se montrer très restrictive à l'endroit des Turcs, il faudra qu'elle accepte d'en payer le prix politique et sécuritaire. C'est le bras de fer qui se joue de manière feutrée entre Ankara et Bruxelles aujourd'hui.

10 février

Nationalité : déchéance improbable

— *Vous vouliez revenir sur la déchéance de nationalité qui a été votée de justesse cette nuit à l'Assemblée nationale.*

La déchéance de nationalité pour ceux qui ont été convaincus d'actes terroristes a été adoptée avec une faible différence de voix. Cette mesure, qui aurait dû marquer l'unité de la nation face à la menace terroriste, a eu l'effet contraire. Le texte doit encore être approuvé par le Sénat, ce qui n'en prend pas tout à fait le chemin aujourd'hui, après quoi l'Assemblée et le Sénat seront rassemblés en congrès et devront pour l'adopter la voter à la majorité des trois cinquièmes, puisqu'il s'agit d'une modification de la Constitution. On en est loin[1].

Si l'on détaille les votes, on constate que le gouvernement socialiste n'obtient dans son propre camp qu'une majorité limitée en faveur de cette disposition. Parmi les députés socialistes, cent dix-neuf seulement ont voté pour, quatre-vingt-douze contre, et dix se sont abstenus. Cela donne cent dix-neuf contre cent deux, soit une fracture, et non un rassemblement. Ce n'est pas mieux à droite, puisque si trente-deux députés ont voté pour, trente ont voté contre et six se sont abstenus. Le PC a voté entièrement contre. Quant aux écologistes, tous ont voté contre sauf un, François de Rugy, au sujet duquel les réseaux sociaux ironisent sur son espoir d'obtenir un maroquin à l'occasion d'un prochain remaniement ministériel.

---

1. Finalement, le texte adopté par l'Assemblée et celui modifié par le Sénat étaient tellement éloignés que François Hollande décida, le 30 mars 2016, d'abandonner le projet de modification constitutionnelle.

Comment interpréter tout cela ? Depuis la mise en place du quinquennat, l'inversion du calendrier — le président étant élu avant l'Assemblée — a eu tendance à « godillotiser » les députés de manière absolue puisque leur élection dépend très largement de celle du chef de l'État. Aujourd'hui, alors que la campagne pour la présidentielle de 2017 va commencer, les députés de gauche sont saisis d'une vive inquiétude à la perspective que celui qui serait candidat pour leur parti obtiendrait un score tellement bas que leur propre réélection pourrait en pâtir. Avec le rejet dont font l'objet dans l'opinion tant François Hollande que Nicolas Sarkozy, certains députés pris de panique votent contre un projet que l'ancien comme l'actuel présidents ont appelé de leurs vœux.

17 février

Le centenaire grinçant
des accords Sykes-Picot

— *Vous voulez célébrer à votre manière le centenaire des accords Sykes-Picot. Quelle importance revêtent-ils selon vous dans le contexte contemporain ?*

Il y a un siècle, entre novembre 1915 et mars 1916, se déroulaient secrètement à Londres les négociations entre la France et l'Angleterre qui aboutirent au démembrement des régions arabes de l'Empire ottoman et furent ensuite connues sous le nom d'« accords Sykes-Picot ». Le projet établissait notamment la frontière syro-irakienne, que l'État islamique a aujourd'hui effacée. Il est intéressant d'observer que, dans les Balkans aussi bien qu'au Levant, la fragmentation des États autour de lignes ethniques, confessionnelles et culturelles a commencé avec le démantèlement des empires centraux, dans le premier quart du XXᵉ siècle, et que, un siècle après, le problème n'a pas tellement progressé.

Mais que s'est-il passé au juste entre 1915 et 1916 ? La France et la Grande-Bretagne, avec l'appui de l'Empire russe, qui n'était pas encore renversé par les bolcheviks, se sont efforcées de créer des zones d'influence : française, anglaise et internationale. Tout cela a été à nouveau transformé avec le traité de Sèvres, en 1920, puis celui de Lausanne, en 1923. La zone d'influence française pure allait du sud de la Turquie actuelle jusqu'au Liban et incluait une zone arabe sous influence française en Syrie ; la zone d'influence anglaise pure couvrait l'Irak jusqu'en Mésopotamie, avec une zone arabe sous influence anglaise dans ce qui est aujourd'hui la Jordanie et une partie de l'Irak et une petite zone internationale en Palestine. On constate qu'un certain nombre de lignes de force de l'époque sont en train de faire leur retour. Rappelons, par exemple, que la Turquie, à l'instigation d'Atatürk, s'est élevée contre ces accords et

que la ville de Gaziantep, aujourd'hui capitale des
Syriens en exil et où l'on ne peut pas se rendre à cause
de la situation sécuritaire, doit son nom moderne à
Atatürk, baptisé le *Gazi*, le « vainqueur », pour avoir
chassé les troupes françaises de la région.

Ces accords et leur successeur immédiat, le traité
de Sèvres, prévoyaient la création d'une région autonome kurde, qui a finalement été abandonnée dans le
traité de Lausanne. Les victoires militaires d'Atatürk
l'avaient entre-temps rendu maître du jeu, et il avait
pu s'opposer avec succès à tout embryon d'État kurde.
Or, on voit cette région autonome en train de se matérialiser actuellement, à la fois dans le Gouvernement
régional kurde d'Irak et dans la zone kurde du nord de
la Syrie, pour construire une zone tampon entre elle et
la Turquie, ce qui constitue l'une des causes du regain
des tensions. Il est frappant de constater que les puissances mondiales qui faisaient la loi dans les années
1920 étaient la France et l'Angleterre et qu'elles sont à
présent sinon exclues, du moins reléguées aux seconds
rôles, au profit des puissances régionales turque, iranienne et arabes du Golfe, celles-là mêmes qui avaient
été marginalisées par les accords Sykes-Picot. Le retrait
des États-Unis laisse la Syrie dans une situation plus
que chaotique, tandis qu'aucun des États actuels n'a la
capacité d'influer sur la situation, comme en un retour
du refoulé levantin un siècle plus tard.

Enfin, ces tentatives de rééquilibrage se produisent
dans le contexte de l'inconnue Daech. L'État islamique profite des dissensions entre les membres de

la coalition censée le détruire. Quand les Turcs et les Kurdes se battent entre eux, l'État islamique prospère. Dans le *trend* du moment, caractérisé par la baisse considérable des prix du pétrole, sa stabilisation au-dessous de 50 dollars, contre 120 l'année dernière, entraînerait une recomposition majeure de l'équilibre des forces régionales. Les pétromonarchies, soumises à de très fortes pressions financières, réduisent partout leurs investissements, ce qui ne manquera pas de bouleverser la donne géopolitique à court et moyen termes.

24 février

Kamel Daoud
et les agressions sexuelles de Cologne

— *Vous voulez évoquer une polémique qu'a soulevée un texte rédigé par l'écrivain Kamel Daoud, au terme de laquelle il a décidé de rester silencieux.*

En effet. Cette polémique s'est déchaînée après que le grand écrivain algérien, auteur du roman remarqué *Meursault*, variation « indigène » sur *L'Étranger* de Camus, a publié dans divers journaux européens un article revenant sur les incidents de Cologne la nuit de la Saint-Sylvestre. Plusieurs centaines de femmes ont été molestées, volées et agressées sexuellement par des centaines d'individus agissant en bandes et soupçonnés, au moment où l'Allemagne accueillait en grand nombre des réfugiés de Syrie et d'ailleurs, d'être des migrants originaires du monde musulman[1].

— *Plus que soupçonnés parfois.*

Des incidents similaires se sont produits dans plusieurs villes d'Allemagne. Des femmes ont, par exemple, été poursuivies dans des piscines jusque dans les toilettes, ce qui a contraint des municipalités, pourtant de gauche ou vertes, à interdire aux migrants de sexe masculin de plus de dix-huit ans d'entrer dans leurs établissements de bains publics s'ils n'avaient pas suivi de stage d'intégration. Kamel Daoud s'est interrogé sur ce qu'il appelle la « misère sexuelle dans le monde musulman », en particulier sur le porno-islamisme promu par un certain nombre de prédicateurs qui affirment que les femmes sont des objets de désir avant tout. Comme le dit en substance le célèbre imam salafiste de Brest Rachid Abu Houdeyfa, si elles ne sont pas habillées de manière pudique, c'est-à-dire

---

1. En juillet 2016, un rapport de la police allemande sur les événements de la nuit de la Saint-Sylvestre relayé par divers médias, dont *L'Express* du 11 juillet, avançait les chiffres actualisés de mille deux cents femmes agressées par des centaines d'hommes, dont une très grande majorité d'étrangers, non seulement à Cologne, mais dans douze des seize Länder allemands. La plupart de ceux qui ont été identifiés étaient des ressortissants nord-africains demandeurs d'asile ou en situation irrégulière.

dûment voilées, elles ne peuvent pas se plaindre de déclencher la concupiscence des hommes.

Le texte de Kamel Daoud a suscité une pétition d'intellectuels et d'universitaires. L'écrivain avait déjà subi en 2014 en Algérie une fatwa du salafiste Abdelfattah Hamadache, qui l'avait condamné à mort pour avoir osé critiquer la religion. Dans cette seconde fatwa, venue cette fois d'Occident, il est accusé d'alimenter les fantasmes « islamophobes » d'une partie de l'opinion européenne et de faire preuve de paternalisme colonial. Cette pétition d'intellectuels européens pose véritablement problème. Même si les formulations de Kamel Daoud peuvent être discutées ou contestées, l'imputation d'islamophobie sert à réduire au silence toute approche critique de ceux qui tentent d'analyser ce qui se passe aujourd'hui dans l'univers musulman, notamment la représentation du monde produite par le discours islamiste.

Nous avons là une boîte noire de la pensée. D'un côté, certains interdisent d'analyser de manière critique quoi que ce soit qui advient dans l'islam contemporain, au motif qu'il s'agirait d'une authenticité culturelle inattaquable. D'un autre côté, certains rangent l'ensemble de ces phénomènes sous le vocable de *radicalisation*, s'interdisant d'en penser la complexité. C'est un des défis auxquels on est confronté si l'on veut comprendre ce qui advient depuis l'État islamique jusqu'au Bataclan en passant par l'accueil des migrants dans des pays comme l'Allemagne ou la Grèce. Tant que l'on ne mettra pas toutes ces situations à plat, on s'interdira d'interpréter la complexité des phénomènes sociaux et culturels.

— *On a quand même reproché à Kamel Daoud de généraliser son propos, d'être en quelque sorte peu précis dans ses accusations, alors que d'autres situations où des femmes ont été molestées se sont produites sans qu'une hypothétique culture musulmane puisse être mise en cause.*

Ses formulations sont en effet à débattre, mais ce n'est pas l'enjeu. Je suis préoccupé par l'usage de cet oukase de l'« islamophobie » : « Tais-toi, car si tu émets une critique envers des comportements dans lesquels on retrouve le fonds de commerce de la prédication salafiste, alors tu es islamophobe. » Il faut faire en sorte que le débat autour du salafisme soit possible de l'intérieur du monde musulman. Kamel Daoud a vécu les années de plomb en Algérie, il a déjà été condamné à mort. Interdire, depuis les campus américains ou européens, à un auteur algérien tel que lui de mener ce débat me semble tourner le dos à la vocation même de l'Université. C'est une forfaiture intellectuelle.

MARS 2016

2 mars

L'afflux des réfugiés
menace-t-il l'Europe ?

— *Les réfugiés vont-ils faire imploser l'Europe ?*

Jamais sans doute, me confiait tout récemment un haut responsable de l'Union européenne, celle-ci n'a été mise en cause dans son identité comme aujourd'hui sous l'effet de l'afflux des réfugiés. Ceux-ci arrivent en Europe par le sud-est, la Grèce puis les Balkans, retraçant une route oubliée, celle de l'armée ottomane jusqu'aux sièges de Vienne de 1529 et 1683, dont l'échec final signa la fin des ambitions de conquête de l'Europe chrétienne par le sultan d'Istanbul. Dans les Balkans ou dans des pays tels que l'Autriche, la Hongrie et la Bulgarie, les souvenirs

d'invasions venues d'Orient affleurent toujours dans
la mémoire collective.

Face aux millions de personnes qui cherchent refuge
en Europe pour fuir la guerre en Syrie, en Irak ou
en Afghanistan, les gouvernements des pays concernés, l'Autriche notamment, ferment leurs frontières,
en opposition avec les décisions prises à Bruxelles, et
mettent ainsi à rude épreuve la cohésion de l'UE. Pour
la Grèce, qui sort d'une crise financière éprouvante, la
gestion des flux de réfugiés, qui transforment les îles
égéennes proches des côtes turques en vastes camps à
ciel ouvert, tourne au cauchemar. Les moins qualifiés,
notamment les Afghans, se retrouvent bloqués sur le
territoire hellénique, car on les empêche d'aller au-delà.

Pour l'Allemagne, la chancelière se dit confiante
dans la capacité de son pays à accueillir et intégrer
plus d'un million de réfugiés. Elle fait le pari que cette
population jeune, dont elle espérait qu'elle serait qualifiée, comblera le déficit démographique germanique et
stimulera la croissance de l'économie. La gestion politique, sociale et culturelle de ces flux représente le plus
grand défi qu'ait connu Angela Merkel au cours de sa
carrière. Son autorité est désormais remise en cause,
et, pour la première fois, se pose la question de son
avenir politique. Les violences de la Saint-Sylvestre à
Cologne ont traumatisé un électorat au sein duquel
l'extrême droite progresse à grands pas.

En France aussi, où le gouvernement n'a pas trouvé
d'autre solution pour vider l'abcès de Calais que de
nettoyer la jungle après de multiples incidents, dont

certains ont entravé le fonctionnement de l'Eurostar, rien ne semble pouvoir endiguer la montée du Front national. Calais est devenu le passage obligé des candidats à la présidentielle de 2017. En conséquence, la Belgique, qui craint que les réfugiés ne remontent vers ses côtes jusqu'à Knokke-le-Zoute pour passer en Angleterre, tente aujourd'hui de fermer ses frontières, ces mêmes frontières poreuses par où ont transité dans les deux sens les membres du commando qui ont attaqué Paris le 13 novembre 2015 ainsi que leurs complices.

Quand on veut embarquer dans un Thalys, il faut présenter ses papiers dès les quais de la gare du Nord, preuve s'il en est de l'échec de l'espace Schengen de libre circulation en Europe. Pendant ce temps, en Angleterre, pays traditionnellement accueillant envers les réfugiés, les partisans du Brexit sont donnés gagnants sur fond de rhétorique anti-immigration, avec pour conséquence probable la séparation de l'Écosse du Royaume-Uni. Ce scénario catastrophe est d'autant plus frappant qu'il ressemble aux prophéties contenues dans le manifeste du djihadisme de troisième génération d'Abu Musab al-Suri, *L'Appel à la résistance islamique mondiale*. Ce dernier voit dans l'implosion de l'Europe le contexte propice au déclenchement de la guerre civile et confessionnelle qu'il appelle de ses vœux pour édifier le califat islamiste sur les ruines du Vieux Continent. Il ne s'agit pas ici de tout mélanger, mais il semble clair que des années de laxisme intellectuel à Bruxelles et dans les grandes capitales européennes sur la politique de voisinage sud et sud-est de l'UE se traduisent aujourd'hui par des réactions de désordre et de panique qui risquent, si rien n'est fait, d'importer dans les frontières de l'Europe le chaos du Proche-Orient.

— *Si rien n'est fait, dites-vous, mais l'Europe a-t-elle encore la possibilité d'agir ?*

Espérons que Bruxelles prendra des mesures pour enrayer ce phénomène. Depuis plusieurs années, l'Union européenne mène une politique de codéveloppement qui vise à fixer les populations dans les pays du Sud en y injectant des subventions, mais du fait du chaos entraîné par la guerre, ce n'est plus possible. Que voulez-vous faire en Libye ou en Syrie avec des instruments tels que Frontex, le dispositif européen de contrôle frontalier déployé en Méditerranée avec des moyens qui ne sont pas à la hauteur du défi ?

— *Cela signifie-t-il que le retour à la normale en Syrie, en Irak et en Afghanistan serait en quelque sorte un impératif pour l'Europe et l'Occident ?*

Bien sûr, ce qui pose le problème de l'action politique extérieure de l'Union européenne. Tant qu'il n'y en a pas et tant que les différents pays de l'UE jouent leur petite musique en solo, on ne pourra pas s'attendre à grand-chose.

16 mars

Le leurre de l'« islamophobie »

— *Dans le cadre de l'enquête sur les attentats du 13 novembre dernier à Paris et Saint-Denis, une perquisition a dégénéré hier à Bruxelles, où un suspect armé d'une kalachnikov a été tué. Quelle est votre analyse de cet événement ?*

Il s'agit d'un épisode qu'il faut essayer de nommer. Depuis les attentats de janvier et novembre 2015, nous sommes pris dans la difficulté d'identifier le phénomène terroriste. Le débat fait rage. Certains considèrent que tout cela n'est qu'« islamisation de la radicalité ». Le mot-valise derrière ce slogan qui fait mouche serait la *radicalité*, phénomène intemporel prétendument inchangé depuis les anarchistes du XIXe siècle jusqu'à Action directe, en passant par les Brigades rouges italiennes, la bande à Baader en Allemagne ou Daech aujourd'hui. Il ne s'agirait que d'un prurit nihiliste de destruction de la société propre à l'adolescence, aujourd'hui peinturluré du vert islamiste après l'avoir été du rouge communiste hier et du brun fasciste avant-hier.

Je suis en total désaccord avec cette vision. Derrière ce type de phénomène se trouve quelque chose que le pseudo-concept « radicalité » empêche de penser : l'irruption du djihadisme et la nature de son lien avec le salafisme. En diluant dans la généralité de la radicalité la question djihadiste, on donne des arguments à ceux qui intentent un procès en sorcellerie pour « islamophobie » à quiconque interroge en substance ce lien. On en a eu très récemment une occurrence avec les anathèmes formulés à l'encontre de Kamel Daoud (voir p. 131) après ses propos sur les agressions, notamment sexuelles, commises sur des femmes en Allemagne. Toute réflexion sur ce qui se produit aujourd'hui dans le domaine islamique, toute mise en perspective critique, s'expose à être qualifiée d'islamophobie. On pointe du doigt quiconque s'avise de montrer comment, à l'intérieur même du débat au sein de l'islam, se mettent en place des stratégies de pouvoir portées à la fois par le salafisme et par le djihadisme, pour conquérir l'hégémonie sur la parole privée et le discours public.

Cet enjeu concerne au premier chef nos compatriotes musulmans, pris en otages par un courant d'idées leur interdisant d'adopter une démarche réflexive par rapport à ceux-là mêmes qui s'arrogent le droit exclusif de parler en leur nom et discréditent leurs contradicteurs comme « apostats ». L'affaire est complexe. Un certain nombre d'universitaires, dont votre serviteur, estiment qu'il est essentiel de penser la spécificité de ce qui se produit depuis au moins une décennie non seulement dans la société française, mais dans d'autres sociétés européennes et à l'intérieur du monde musulman. Je veux parler des marqueurs de la salafisation dans les quartiers populaires de France, en grande partie sous l'influence des financements gigantesques dispensés à cette fin par les pétromonarchies de la péninsule arabique.

La prévalence du salafisme favorise une lecture rigoriste, littéraliste du Coran, décontextualisant les Écritures et considérant, par exemple, qu'en appliquant à la lettre des versets révélés au VIIe siècle et des hadiths du Prophète, on peut réduire en esclavage les femmes yézidies ou entériner que l'on attente à la pudeur de femmes simplement parce qu'elles ne portent pas le hijab et sont dès lors coupables d'impudicité. Le phénomène salafiste débouche dans certains cas, et il est important de comprendre selon quels processus, sur le djihadisme. Si l'on ne parvient pas à penser cette articulation, ce qui est difficile, car il faut pour cela non seulement lire les textes en arabe, mais aussi faire du terrain dans les quartiers difficiles, aller dans les prisons, où ce phénomène prend une ampleur extrême, on ne comprend rien. Bien sûr, il est plus confortable d'ânonner une *doxa* bien-pensante fondée sur des pages Wikipedia et des articles de presse que de se rendre sur place au risque de voir chanceler ses certitudes préétablies.

— *On a dit parfois que les jeunes qui sont passés à l'acte, les terroristes, étaient extrêmement ignorants en matière religieuse. Est-ce votre avis ?*

Quelquefois, mais dans un premier temps seulement. La dynamique de la salafisation consiste à socialiser doctrinalement ces jeunes. À partir du moment où ils sont pris en main par des groupes de pairs, l'emprise de l'idéologie salafiste peut les faire basculer. Le monde a changé depuis les Brigades rouges et Action directe.

— *Est-ce la raison pour laquelle vous êtes hostile à la formule « islamisation de la radicalité » ?*

Oui, même si ceux qui la défendent ont bien évidemment le droit de l'exprimer, et surtout le devoir de l'argumenter. Je pense qu'il est très important de débattre de ces questions sur le fond. C'est la controverse qui fait progresser les sciences humaines.

23 mars

Le djihadisme : passage à l'acte du salafisme

— *Au lendemain des attentats de Bruxelles, vous souhaitiez revenir sur le lien souvent établi en France, en Belgique et ailleurs entre salafisation et radicalisation.*

En effet. J'ai participé ce lundi à l'instance de dialogue avec l'islam de France promue par le ministère de l'Intérieur place Beauvau. C'est la deuxième fois qu'elle se tient. Je trouve cette initiative intéressante en ce qu'elle permet à un très grand nombre d'acteurs

— des aumôniers de prison, présents pour la première fois en aussi grand nombre, aux imams, aux présidents d'associations et autres — de débattre et réfléchir ensemble.

Le thème de cette journée était la lutte contre la radicalisation. Le problème qui se pose est de savoir dans quelle mesure ce terme fait sens. Qu'est-ce que cela signifie être radical ? Était-ce la même chose d'être radical à l'époque des Brigades rouges ? Beaucoup de participants, qu'ils le disent de manière explicite ou non, considèrent que la prégnance de l'islam salafiste pose problème. Il était autrefois perçu comme totalement sectaire et principalement répandu en Arabie saoudite. Il a connu un essor considérable depuis l'augmentation du prix du baril pétrolier, qui a servi d'assurance aux pétromonarchies tout en favorisant une rupture culturelle non seulement avec la société française et les sociétés européennes en général, puisqu'il est opposé à la démocratie, à la laïcité, à l'égalité homme-femme, mais aussi avec les sociétés musulmanes elles-mêmes. Au Maghreb et en Turquie, où des traditions malikites et hanafites anciennes visaient à trouver des synthèses plus souples avec la modernité en s'appuyant sur l'interprétation humaine des Écritures saintes, celles-ci sont aujourd'hui menacées par le salafisme. Or il est très difficile de mettre en contexte le salafisme si l'on accuse systématiquement ceux qui s'y emploient d'islamophobie.

Durant cette journée de dialogue, j'ai assisté à un atelier très intéressant sur la situation du milieu carcéral. Bon nombre d'aumôniers musulmans expliquent comment des prisonniers proches de l'esprit de Daech, revenus de Syrie ou qui souhaitent s'y rendre, s'efforcent de construire des contre-prêches à leurs propres sermons du vendredi et de faire entrer la littérature salafiste et djihadiste derrière les barreaux. Le combat de ces aumôniers est difficile, mais lutter contre le terrorisme sur le sol français ne peut se limiter à des opérations de police.

Il faut aussi comprendre de quelle manière et dans quelles conditions le djihadisme consiste en un passage à l'acte violent du salafisme, dont la plupart des adeptes se disent pourtant apolitiques et quiétistes. Certains élus municipaux le dénient, préférant voir dans le salafisme du lien communautaire et de la paix sociale dans des quartiers où les institutions de la République sont devenues inefficientes. En Belgique, des bourgmestres ont jugé que ce mouvement ultrarigoriste, mais pas nécessairement violent, les aidait à lutter contre le trafic de drogue, la déviance sociale ou la prostitution.

À Molenbeek, ce n'était pas exactement le cas des frères Abdeslam, trafiquants de drogue devenus djihadistes, tout en vivant sous l'emprise du milieu salafiste local. Paradoxalement, ils continuaient à mener une vie de « péché », convaincus sans doute qu'elle serait absoute par le martyre. Il se joue là un défi culturel à l'intérieur de l'islam. Dans cette bataille, un grand nombre de musulmans ont été violemment attaqués dans les revues en ligne de Daech. Plusieurs des personnes présentes au colloque du ministère de l'Intérieur y sont du reste vilipendées comme « apostats », et condamnées à mort. Dans le combat pour définir ce que sera l'islam de demain, elles sont appelées à jouer un rôle essentiel.

— *Que faites-vous des quiétistes, ces gens absolument non violents parmi les salafistes ?*

Ils sont, en effet, non violents au départ et peuvent parfaitement le rester. Mais à partir du moment où la rupture culturelle est consommée, où vous et moi sommes considérés comme des *kouffar*, des mécréants, ou, si nous sommes d'origine musulmane sans suivre leur vision des choses, comme des apostats, dont le sang est licite, dès lors que leur chaire ou leur imam bascule vers le djihad sous l'influence de pairs ou de réseaux sociaux, alors un passage à l'acte a lieu. Les articles de *Dar-al-islam*, le magazine en ligne de Daech, reposent sur une logique doctrinale purement et complètement salafiste, à quoi ils ajoutent le djihadisme comme touche finale.

— *Si vous établissez un lien de cause à effet entre salafisme et terrorisme, ou en tout cas si vous considérez que le salafisme est ce qui rend possible le terrorisme, cela veut-il dire que, selon vous, il ne peut y avoir de vertus cathartiques, que la pratique d'un islam rigoriste ne peut prévenir ces passages à l'acte ?*

Si certains salafistes qualifient en effet les djihadistes de « chiens de l'enfer », il reste que le salafisme
représente une rupture existentielle en valeurs avec
la société « mécréante » et que c'est cette rupture qui
fournit son substrat au passage à l'acte. Tout le monde
ne l'accomplit pas, mais il est facilité par la lecture lit-
térale, décontextualisée, des Écritures dont se réclame
le salafisme.

30 mars

Sous Bruxelles, Molenbeek

— *Bruxelles en perspective, quelles premières leçons
tirez-vous de ces nouveaux attentats ?*

On ne dispose pas encore de toutes les données et
l'on aura sans doute bien des surprises, notamment
quand Salah Abdeslam livrera ce qu'il sait, s'il décide
de le faire. En mettant en perspective les événements
de janvier et novembre 2015 à Paris et d'aujourd'hui
à Bruxelles, on peut les inscrire dans le modèle qui a
été prescrit par les théoriciens du djihadisme de troisième génération. Celui-ci consiste à perpétrer des
attentats provocateurs destinés à creuser la fracture
entre musulmans et non-musulmans à l'intérieur des
sociétés européennes.

Selon ce mode d'emploi, les non-musulmans sont censés organiser des pogroms « islamophobes » pour se venger des attentats djihadistes. En réaction, les musulmans se regrouperaient sous la bannière des plus radicaux d'entre eux, déclenchant ainsi une guerre civile, ce qu'ils appellent le « management de la sauvagerie ». Ce processus, scénarisé dès 2005, a connu un certain nombre de ratés. Les attentats du 13 novembre 2015 à Paris et Saint-Denis et ceux du 22 mars 2016 à Bruxelles s'inscrivent en continuité, leurs auteurs appartenant à la même bande. L'artificier de novembre, Najim Laachraoui, a mis fin à ses jours à Bruxelles. Cela donne le sentiment d'une équipe à bout de souffle, dont la séquence finale est un suicide, aux conséquences certes terribles, mais qui ne consiste pas en une opération planifiée en vue d'objectifs politiques déterminés à l'avance. Les attentats du 13 novembre ont du reste fait prévaloir l'origine mafieuse ou à tout le moins crapuleuse de certains de leurs auteurs sur la stratégie politique élaborée par un Abu Musab al-Suri dans l'*Appel à la résistance islamique mondiale*, son manifeste de 2005.

En janvier, aussi bien les frères Kouachi qu'Amedy Coulibaly avaient stigmatisé des « islamophobes » et des « ennemis d'Allah » dans les journalistes de *Charlie Hebdo* et les clients juifs de l'Hyper Cacher de la porte de Vincennes. Quant au policier « apostat » Ahmed Merabet, son assassinat avait été loué sur la djihadosphère, mais très mal vécu dans le nord-est de la Seine-Saint-Denis, où il vivait, à tel point que des blogs locaux de Clichy-Montfermeil et d'ailleurs expliquèrent qu'il avait été victime... du Mossad et reposait au paradis.

Au contraire, en novembre à Paris et la semaine dernière à Bruxelles, ce sont des assassinats indiscriminés qui ont été commis, tuant et blessant tout le monde, y compris de jeunes musulmans, ceux-là mêmes que Suri et consorts veulent mobiliser au premier chef. Après Paris et après Bruxelles s'est creusé un clivage. Dans les entretiens que mes étudiants et moi avons réalisés dans les prisons avec des détenus, mais aussi dans ce que l'on observe sur les réseaux sociaux, la dénonciation des « barjos » qui ont commis ces attentats est récurrente. L'affaire Abdeslam apporte un autre contredit à la légende dorée djihadiste. Salah Abdeslam, loin d'être le héros idéalisé de la propagande de Daech, est apparu comme un lâche qui a déserté le combat, s'est réfugié dans le milieu de Molenbeek puis s'est rendu sans combattre.

Une question vivement débattue est de savoir si l'enclave de Molenbeek devient le parangon de tout ce qui va se passer dans les nombreux quartiers relégués d'Europe. Je ne le crois pas. Molenbeek présente des caractéristiques spécifiques. Une grande criminalité organisée y est présente autour du trafic de kif venant du Rif. Des mouvements islamistes radicaux y sont également implantés depuis longtemps. Les deux assassins du commandant Massoud, le 9 septembre 2001 en Afghanistan, en venaient. Le laxisme exceptionnel des autorités locales a laissé s'édifier toutes sortes de lieux de culte non contrôlés où a prospéré la logique djihadiste.

— *Pouvez-vous nous dire quelques mots sur ce qui vient de se passer à Lahore, au Pakistan*[1] *? Avons-nous affaire à un même phénomène terroriste ?*

Pas exactement. Il ne s'agit pas d'une attaque menée contre l'Europe dans le but d'y susciter une guerre civile, mais d'une guerre de religion interne au Pakistan. Cet État est déstabilisé par la présence des talibans, un mouvement islamiste originaire d'Afghanistan à l'idéologie ultrasalafiste, qui considère que tous ceux qui ne sont pas musulmans sunnites ou qui n'appartiennent pas à leur secte, à commencer par les chiites et la petite minorité chrétienne du Pakistan, sont des cibles désignées. Ce massacre de chrétiens a malheureusement été précédé de nombreux autres.

1. Cet attentat-suicide, commis le 27 mars 2016 dans la capitale du Pendjab et visant des chrétiens le jour de Pâques, fit soixante-douze tués et des centaines de blessés.

6 avril

La bataille de l'islam de France

— *Lundi dernier le premier ministre Manuel Valls a déclaré : « Le salafisme est en train de gagner la bataille de l'islam en France. » Que vous inspire cette déclaration ?*

Que le salafisme ait progressé très significativement en France, notamment depuis les émeutes de l'automne 2005 et leurs conséquences sur l'islam de France, est une évidence. J'ai pu le constater, moi qui parcours le monde de l'islam dans notre pays depuis les années 1980. Par rapport à ce que j'avais observé dans mon livre *Les Banlieues de l'islam*, paru en 1987, les marqueurs de la salafisation dans un certain nombre de quartiers, qui existaient à peine à l'époque, sont omniprésents aujourd'hui. Pour autant, considérer que le salafisme a définitivement gagné la bataille serait aller un peu vite en besogne. Après les attentats de 2015, il s'est opéré chez nombre de musulmans de France une remise en cause du salafisme beaucoup plus forte que ça n'avait été le cas jusqu'alors.

Il faudrait peut-être commencer par définir le salafisme, un terme que l'on utilise abondamment, mais souvent à tort et à travers. Le mot vient de l'arabe *salaf* (« ancêtres »), qui désigne les premiers musulmans, contemporains du Prophète, qui auraient été les témoins de ce qu'il a dit et fait. Leurs témoignages permettent de comprendre ce qu'est la norme de l'islam mise en œuvre par le Prophète lui-même. Il existe deux sources de cette norme : d'une part, le Coran, le texte révélé, souvent polysémique, mais peu loquace sur l'immensité des situations que peuvent vivre les musulmans et les autres hommes ; d'autre part, les « hadiths », les dits et récits du Prophète, qui ont valeur d'exemplarité. Une grande quantité de ces hadiths ont été considérés par les jurisconsultes de la tradition savante musulmane comme inventés ou forgés. Ils ont ensuite été purgés, et seuls ceux qui sont considérés comme authentiques par cette tradition sont publiés sous forme de recueils, appelés *sahih* (véridiques). À l'encontre de cette tradition dominante, les salafistes prennent en compte la quasi-totalité du corpus, y compris ce qui est jugé le plus faible, voire fallacieux, par la plupart des autres musulmans.

L'objectif de ce littéralisme salafiste est de décontextualiser l'islam, de le réifier. À partir de pareil

raisonnement, quand les combattants de Daech cap-
turent des Yézidis « païens » dans le nord de l'Irak ils
considèrent qu'ils peuvent les tuer sans autre forme de
procès et réduire leurs femmes en esclavage s'ils ne se
convertissent pas sur-le-champ. Ils refusent de transi-
ger sur le port du niqab, ou voile facial, et la laïcité,
la République ou la démocratie sont pour eux de la
mécréance, car il ne saurait exister d'autre loi que la
charia. Cela aboutit à une fracture culturelle très profonde avec les sociétés dans lesquelles ils se trouvent.
Cela ne conduit pas nécessairement à la violence, mais
cela donne le substrat doctrinal à ceux qui décident
de passer à l'acte.

Le salafisme est soutenu depuis sa naissance par les
pétromonarchies du Golfe, qui en ont fait l'idéologie
de la légitimation de leur pouvoir. C'est l'Arabie saoudite qui a commencé à envoyer des prédicateurs salafistes en France au début des années 1990. La guerre
du Golfe, au cours de laquelle beaucoup dans l'islam
hexagonal avaient apporté leur soutien à Saddam Hussein plutôt qu'à la coalition qui le combattait, fournit
l'occasion d'une reprise en main des instances musulmanes en France, au profit d'une vision rigoriste de
l'islam. Depuis la guerre et le djihad en Afghanistan
de la décennie 1980, une mouvance salafiste djihadiste
internationale a vu le jour et a fourni la matrice des
événements d'aujourd'hui, notamment ceux qui ont
endeuillé notre pays en 2015.

Pour autant, tout salafiste n'est pas nécessairement
djihadiste. En France, la plupart d'entre eux sont

quiétistes. Ils rejettent la violence, tout en adoptant une attitude que l'on pourrait qualifier de « désintégratrice ». Autant l'objectif d'intégration était très présent chez les enfants des travailleurs immigrés dans les années 1980-1990, autant les salafistes dans leur ensemble veulent se « désintégrer » d'avec la société française, y compris les « Français de souche » convertis. Leur objectif final est de quitter le territoire, de faire la *hijra* pour mener une vie islamique intégrale. Ils aimeraient aller vivre en Arabie saoudite, mais la monarchie islamique, qui a financé un certain nombre de ces groupes, n'en veut pas sur son sol. Beaucoup finissent par retourner au bled d'où leurs parents étaient venus, où ils installent leur propre famille, tout en continuant de travailler en France, une situation hautement paradoxale.

Si tous les salafistes ne sont pas djihadistes, il n'en est pas moins vrai que le djihadisme se construit sur le socle du salafisme. C'est le lien de l'un à l'autre qui pose aujourd'hui problème. La question djihadiste ne peut se traiter par de simples mesures de sécurité sans interroger la dimension culturelle du salafisme. Le Premier ministre a le mérite d'avoir posé la question.

13 avril

Revers et résilience du « califat »

— *La ville de Mossoul est encerclée, et Mohamed Abrini, ce Belge d'origine marocaine mis en examen dans les enquêtes sur les attentats de Paris et de Bruxelles, est arrêté. Est-ce le début de la fin pour Daech ?*

C'est ce que certains analystes commencent à dire, et un peu aussi le thème du colloque pour lequel je me trouve à Washington ce matin. Sans doute faut-il rester prudent, car par le passé Daech a su faire preuve de résilience. Nous verrons ce que donnera l'encerclement de Mossoul. Mais comme il s'agit d'une grosse ville arabe sunnite, si ce sont des Kurdes et des chiites qui l'attaquent, cela facilitera le soutien de la population locale à l'État islamique pour des raisons confessionnelles autant qu'ethniques. L'enjeu n'est pas seulement militaire.

Du côté de l'Europe, Daech a subi des revers. Après l'arrestation de Salah Abdeslam, assez peu glorieuse du point de vue d'un groupe qui aime à héroïser ses soldats du califat, Mohamed Abrini, le fameux « homme au chapeau » que la vidéosurveillance montre poussant un chariot à l'aéroport de Bruxelles peu avant l'attentat, a été identifié et interpellé par les policiers belges. On estime que la quasi-totalité des membres de la cellule qui avait commis les attentats de Paris et Saint-Denis le 13 novembre et de Bruxelles le 22 mars sont maintenant neutralisés, qu'ils soient morts ou sous les verrous. L'arrestation de Mohamed Abrini montre que les attentats de Bruxelles ont été réalisés dans la précipitation, que des cibles parisiennes avaient été choisies, mais que l'efficacité de la répression et de la traque des tueurs avait conduit ceux de Bruxelles à se rabattre à la hâte sur la Belgique, une attaque qui ne s'est pas effectuée avec la même efficacité politique qu'espéré.

Paris constitue la cible principale de la rhétorique de l'État islamique. C'est ce que l'on entend de plus en plus quand on fréquente un certain nombre de ceux qui sont emprisonnés ou en lisant les chats sur les réseaux sociaux où l'on accuse la France d'être responsable de tous les malheurs des musulmans. Ce sont les Français, dit-on, qui tuent des innocents, des enfants, en bombardant Rakka, et il faut leur rendre coup pour coup. La Belgique ne participant pas à ces opérations sur le champ de bataille syrien, mais comportant des enclaves fortement radicalisées, elle fait office de sanctuaire permettant au système Daech de demeurer opérationnel en Europe.

Avec les attentats de Bruxelles, l'État islamique s'est, d'une certaine façon, tiré une balle dans le pied. Outre les investigations des polices belge et française, un récent reportage du *New York Times* a identifié le véritable cerveau de la plaque tournante qu'est Molenbeek. Il s'agit d'un Marocain d'une

cinquantaine d'années, arrêté, qui s'était spécialisé
dans l'identification des repris de justice d'origine
marocaine présentant des faiblesses psychologiques.
Il les avait nourris, encadrés et amenés à l'idéologie
djihadiste, au passage à l'acte et au départ vers la
Syrie. On commence à disposer d'une cartographie
assez nette de la façon dont fonctionnait en Belgique
le cœur du système européen de Daech. L'émotion
le cédant à la raison, Daech peut être combattu plus
efficacement. Va-t-il être capable de monter d'autres
opérations ?

À partir du moment où une grosse pression s'exerce
sur le territoire du califat et où tous les combattants sont au front, il devient difficile de se rendre
à Rakka et d'en faire un « village Potemkine » de
l'État islamique. Comme la traversée de la frontière
turco-syrienne est devenue de surcroît très malaisée
à cause de la guerre entre les Kurdes et les Turcs,
les départs pour le champ de bataille des djihadistes
européens sont contrariés, et ceux-ci ont tendance à
être activés directement, sur place, pour frapper le
Vieux Continent. Et certains djihadistes revenus de
Syrie sont déjà en Europe, beaucoup d'observateurs
le soupçonnent.

20 avril

Retour de Téhéran

— *Vous étiez dans le vol inaugural d'Air France Paris-Téhéran, et vous êtes de retour. Qu'avez-vous vu en Iran ?*

Je ne m'étais pas rendu en Iran depuis la signature de l'accord sur le nucléaire il y a deux ans. Dans quelle mesure la République islamique a-t-elle été transformée par celui-ci ? Le pays est-il en train de rejoindre le concert des nations, et comment assume-t-il ses responsabilités d'acteur de premier plan au Moyen-Orient ? La visite, ces jours-ci, de Barack Obama en Arabie saoudite se passe dans des conditions assez difficiles, puisque la monarchie wahhabite redoute qu'un tribunal américain n'autorise les victimes et familles de victimes du 11 septembre 2001 à la poursuivre en justice. Dans ce contexte, il m'a semblé intéressant de prendre la température du pays.

J'ai senti un profond soulagement dans la société iranienne en général et chez mes interlocuteurs habituels en particulier. L'ostracisme qui frappait les déplacements de beaucoup d'Iraniens à l'étranger semble appartenir au passé. Pour autant, la situation n'a pas encore évolué de manière significative. Si les États-Unis encouragent l'Iran à revenir sur le devant de la scène internationale, ils n'en font pas moins pression pour tenir la République islamique en lisière.

Les lobbies américains pro-israéliens restent extrêmement méfiants à l'égard de l'Iran. Par exemple, pour des citoyens français qui se sont rendus en Iran et qui souhaitent voyager aux États-Unis, l'exemption de visa américain est supprimée. Il faut donc le demander en expliquant au consulat ce que l'on est allé faire à Téhéran...

D'un autre côté, la République islamique demeure méfiante à l'égard des Occidentaux. L'ouverture que les hommes d'affaires attendent depuis longtemps, car le marché iranien est gigantesque — la consolation d'un Français pris dans les bouchons monstres de Téhéran est de constater que deux voitures embouteillées sur trois sont des Peugeot —, se met en place lentement. En ce qui concerne la France, beaucoup d'Iraniens lui reprochent son engagement au côté de l'Arabie saoudite et des États arabes du Golfe dans le conflit syrien, ainsi qu'une attitude globalement hostile au régime de Bachar el-Assad, que l'Iran soutient. On peut imaginer que la République islamique deviendra l'élément de rééquilibrage du Moyen-Orient que les États-Unis veulent faire émerger et que la France pourra renforcer ses échanges avec elle. Ce pays de quatre-vingts millions d'habitants, doté d'une classe moyenne très dynamique et d'un système universitaire performant, d'où est sortie la mathématicienne Maryam Mirzakhani, qui a obtenu la médaille Fields, prix Nobel de la discipline, en 2014, continue de faire preuve d'une certaine indépendance par rapport à l'État et à son Guide suprême.

L'Iran n'est certes pas entré de plain-pied dans l'ordre international, et le pays reste paradoxal à bien des égards. Sa réintégration se fera certainement, mais elle prendra du temps. Même si l'Iran changeait, si le Guide suprême, les Gardiens de la révolution et autres s'effaçaient au profit de cette classe moyenne globalement pro-occidentale, la méfiance, notamment d'Israël, ne disparaîtrait pas du jour au lendemain, et Téhéran devrait abattre de nouvelles cartes. Précisons qu'en Iran les mosquées sont vides et peu nombreuses. J'ai visité une exposition à Téhéran au cours de laquelle un artiste étranger a déclaré à un groupe de jeunes filles qui regardaient ses installations qu'il n'était « pas très religieux ». Celles-ci, toutes voilées, mais laissant savamment échapper des mèches de cheveux fort charmantes, lui ont répondu dans un éclat de rire unanime que c'était pareil pour elles. Voilà des propos publiquement imprononçables en Arabie, par exemple.

27 avril

Les programmes scolaires de Daech

— *On n'arrête pas le progrès : Daech aurait publié des manuels scolaires. Pouvez-vous nous dire ce qu'ils contiennent ?*

La presse et les réseaux sociaux se sont fait l'écho des nouveaux programmes scolaires que Daech a mis en place dans les territoires qu'il contrôle, notamment à Mossoul et à Rakka. Il est habituel que les régimes autoritaires diffusent leur vision de l'homme nouveau. Les manuels soviétiques avaient donné l'exemple, suivis par ceux des fascistes italiens et bien sûr de l'Allemagne nazie.

Au début de la guerre contre l'Irak, la République islamique d'Iran n'avait pas hésité à mobiliser des dizaines de milliers d'adolescents de treize, quatorze ans : ils étaient pris dans les classes, puis envoyés au front avec un bandeau autour de la tête sur lequel était écrit « il n'y a de dieu que Dieu » et une petite clé autour du cou, généralement en plastique, censée leur ouvrir les portes du paradis une fois qu'ils se seraient fait exploser sur un champ de mines en montant à l'assaut. La question des enfants reste centrale aujourd'hui pour formater les djihadistes de demain. Les manuels dont vous parlez sont utilisés dans les écoles de Rakka ou de Mossoul notamment pour « désintoxiquer » de la culture occidentale ceux venus avec leurs parents de France et d'autres pays. La « pédagogie » de ces manuels consiste à éliminer la totalité des matières séculières qui concernent les sciences humaines, l'histoire, etc., au profit de l'étude des Écritures saintes dans leur acception salafiste, pour la doctrine, et djihadiste, pour l'action, avec pour seules concessions l'apprentissage de l'anglais, des mathématiques et de la comptabilité.

Ces ouvrages scolaires de Daech sont la partie émergée de l'iceberg. En réalité, les manuels d'endoctrinement salafistes que l'on trouve dans bien des pays de la région servent également à formater les enfants selon une vision de l'histoire et du monde qui rejoint leur lecture close, fermée, des textes sacrés telle que la promeuvent les oulémas de cette obédience. Cela aboutit à une perception du monde complètement clivée entre ceux qui suivent cette doctrine et les « apostats et infidèles », dont le sang est licite et contre lesquels le djihad est légitime. Cet endoctrinement des enfants s'opère également, sur un mode plus discret, dans certains quartiers populaires des villes européennes, où les « cours de rattrapage » et les écoles libres salafistes s'emploient à déconstruire l'enseignement « mécréant » de l'école publique.

MAI 2016

4 mai

Sondages : l'image de l'islam
en France et en Allemagne

— *Une étude d'opinion témoigne ou témoignerait du fait que l'image de l'islam en France et en Allemagne se dégrade. Comment interprétez-vous cette étude ?*

Le Figaro publie chaque année depuis 1989 ce sondage de l'Ifop (Institut français d'opinion publique) qui est effectué simultanément dans les deux pays. Après les attentats de 2015 en France et de 2016 en Belgique, on observe une dégradation spectaculaire de l'image de l'islam en France. Par exemple, la question « Diriez-vous que l'influence et la visibilité de l'islam dans votre pays sont aujourd'hui trop importantes » obtient 63 % de réponses positives en France, soit une augmentation de 8 % en cinq ans, et 48 % en Allemagne, où, par ailleurs, 63 % des sondés se disent opposés au port du voile ou du foulard dans la rue, en augmentation de 4 %, et 52 % à l'édification de mosquées, en augmentation de 13 %. Fait nouveau et frappant, c'est dans l'électorat de gauche que cette dégradation progresse le plus. Par exemple, l'opposition des Français de gauche au port du voile dans la rue est passée en cinq ans de 46 % à 55 %.

— *Si nous nous fions à ces chiffres, le constat est clair. Comment l'interpréter ?*

Il ne fait guère de doute que les attentats ont été l'élément fondamental qui a bouleversé l'image de l'islam. En France, les autorités islamiques reconnues, censées incarner son image publique, ne se font pas entendre de la société française en général et parviennent assez difficilement à gérer les tensions au sein même de la population musulmane.

— *Cela signifie-t-il que le mot d'ordre « pas d'amalgame » n'a pas été entendu ?*

Il manque aujourd'hui parmi les musulmans de France des personnalités fortes capables à la fois de fournir une identification à ceux qui se réclament de l'islam et d'être perçues comme des interlocuteurs responsables par l'ensemble de la population concernée comme par les autorités de la République. C'est un grave dilemme, car l'effet des attentats n'est pas complètement clair à ce jour. Ces chroniques ont évoqué à plusieurs reprises la doctrine d'Abu Musab al-Suri, le premier « visionnaire » du djihadisme de troisième génération, qui considère ceux-ci comme des provocations destinées à fracturer la société de manière à susciter des comportements pogromistes. J'ai pu observer, lors d'un débat avec des jeunes de Seine-Saint-Denis[1], comment l'argument récurrent de l'« islamophobie » était devenu dans l'esprit de certains l'explication à tous les maux du pays, permettant de faire l'impasse sur le traumatisme qu'ont représenté les attentats pour l'ensemble de la population française. Le niveau d'agressivité de ce débat — auquel je ne m'attendais pas — me préoccupe pour la pérennité de notre paix sociale.

Cela pose aussi le problème de la manière dont l'islam est géré en tant que religion. Certains reportages publiés récemment sur la façon dont sont recrutés les jeunes qui partent en Syrie donnent le sentiment inquiétant que les autorités sont impuissantes à juguler le phénomène et que la « communauté musulmane », si l'on peut dire, est elle-même soit impuissante, soit indifférente.

— *Diriez-vous que les élites musulmanes sont de plus en plus éloignées de leur base ?*

1. « Bondy blog café », première diffusion sur La Chaîne parlementaire (LCP) le 7 mai 2016.

Dans la gestion du culte musulman sunnite en France, il n'existe pas d'Église, d'évêque ou de pape pour donner des ordres ou des consignes. Au contraire, chaque communauté locale peut choisir son imam, et ce dernier n'a pas à en référer au président du CFCM (Conseil français du culte musulman). Comment gérer la plasticité de la religion et faire en sorte que les propos tenus dans les mosquées ne se fassent l'écho du dogme salafiste de rupture, mais au contraire transmettent une vision ouverte de la société, qui est du reste celle de l'islam maghrébin traditionnel ? C'est un défi considérable qui, à terme, s'il n'est pas résolu, menacera la pérennité du vivre-ensemble.

11 mai

Djihad en France, réformes en Arabie saoudite ?

— Faut-il faire un lien entre les mesures antiradicalisation annoncées par le Premier ministre Manuel Valls et les réformes annoncées par l'Arabie saoudite ?

Oui, même si cela peut sembler bizarre à première vue. Lundi, le Premier ministre a énuméré un catalogue de quatre-vingts mesures, dont cinquante nou-

velles, pour endiguer ce qu'il appelle une « idéologie
du chaos ». Il a en outre expliqué que la lutte contre
le djihadisme était le grand défi de notre génération.
Cette même semaine, le ministre des Affaires étrangères saoudien, Adel al-Jubeir, en visite dans notre
pays, a expliqué que la France et l'Arabie saoudite
se situaient sur la même ligne concernant beaucoup
de sujets. Il a répondu aux questions qui lui sont
régulièrement posées par ses homologues français sur
l'influence du royaume saoudien dans la propagation
d'une idéologie salafiste qui mène, dans un certain
nombre de cas, au passage à l'acte djihadiste. Il a pro-
testé que le royaume n'avait rien à voir avec cela et
qu'il était lui-même aujourd'hui victime de Daech.
Ces deux faits, rassemblés par les hasards de l'actualité
alors qu'ils semblent assez éloignés à première vue, ne
sont pas sans lien.

Les mesures de Manuel Valls sont sans doute ce
qu'il y a de plus abouti dans la tentative d'identifier
ce que l'on appelle encore maladroitement la « radicalisation » puis le passage à l'acte djihadiste et leur survenue dans des domaines où l'on ne s'attend pas à
les voir. Ces mesures se fondent sur des rapports des
services de renseignements qui répercutent l'état des
lieux dans les collèges, les lycées, les universités, avec
de forts mouvements de prosélytisme, dans les associations sportives, les clubs de football amateur, etc.
Quand ils sont lus en totalité, ils présentent une vision
préoccupante de l'évolution de la société française,
notamment dans les quartiers défavorisés.

Les vecteurs par lesquels passe l'entreprise de conversion au salafisme puis, éventuellement, au djihadisme se retrouvent un peu partout. Si cette vision globale recoupe un certain nombre de symptômes que les universitaires qui suivent ces questions ont pu observer, elle pèche néanmoins par myopie : elle ne perçoit pas le phénomène dans son essence, mais en décrit seulement diverses manifestations. L'une des principales questions qui se posent est de savoir d'où vient l'idéologie salafiste.

Je me trouvais récemment à Sevran, en Seine-Saint-Denis, une commune qui défraie la chronique depuis longtemps pour l'importance des trafics de haschisch qu'elle héberge et, plus récemment, le nombre des départs en Syrie. J'ai rendu visite à la famille d'un jeune Français, converti à l'islam par un recruteur camarade de lycée, puis parti subrepticement en Syrie où il trouva rapidement la mort au djihad. Dans la bibliothèque de sa chambre d'enfant figurait tout le corpus du parfait salafiste, édité en Arabie saoudite et traduit en français. Sur ce point, les choses sont peut-être en train de changer puisque le royaume saoudien a annoncé de gigantesques réformes, depuis que la baisse des cours du pétrole ne lui permet plus d'acheter la paix sociale.

Le niveau très élevé du prix des hydrocarbures avait longtemps permis de financer l'exportation du salafisme. Les bouleversements introduits dans le royaume auront-ils un effet adverse sur la propagation salafiste ? Entraîneront-ils un refus des réformes préconisées résultant dans l'essor de l'influence de Daech ? Ou, au contraire, se traduiront-ils par la modernisation du pays à laquelle dit aspirer le fils du souverain et second prince héritier ? Telles sont certaines des grandes questions qui se posent aujourd'hui pour l'avenir du Moyen-Orient, dont les conséquences seront très importantes en France.

18 mai

Bras de fer entre Ankara et Bruxelles

— *Recep Tayyip Erdoğan semble vouloir engager un bras de fer avec l'Europe. Quelles en sont, selon vous, les raisons, et quels scénarios peut-on envisager pour l'avenir ?*

Les rapports entre la Turquie et l'Europe sont en train de se tendre considérablement dans un contexte de dégradation de la situation au Moyen-Orient. Avec l'accord d'Angela Merkel et sur son incitation, l'Union européenne avait décidé de construire une relation nouvelle avec Ankara en faisant en sorte que des réfugiés venus de ce pays et passés en Grèce y soient réinstallés. En contrepartie, la politique d'accession à l'Union européenne pour les ressortissants turcs serait considérablement assouplie : dans la mesure où ils disposeraient d'un passeport biométrique, ils pourraient y entrer sans visa. Ces dispositifs sont soumis à certaines conditions. Pénétrer dans l'UE sans visa nécessite que l'on soit ressortissant d'un État démocratique. Or, aujourd'hui, la Turquie du président Erdoğan voit la guerre reprendre dans le sud-est du pays contre le PKK, le parti indépendantiste kurde, tandis que certaines villes sont en état de siège près de la frontière syrienne.

En parallèle, de nombreux observateurs s'inquiètent d'une dérive autoritaire du pouvoir, qui advient à l'intérieur même des institutions par une transformation en profondeur de la politique turque. Le président Erdoğan avait été porté au pouvoir par l'alliance de deux groupes sociaux : la classe moyenne pieuse de l'Anatolie profonde désirant remettre l'islam au cœur du système politique tout en libéralisant l'économie, et les démocrates laïques, opposés de longue date à la dérive autoritaire du kémalisme et des généraux. Aujourd'hui, ces derniers soupçonnent le président de vouloir revenir à un modèle autoritaire d'inspiration kémaliste, à cela près qu'il ne serait plus laïque, mais islamiste.

Le régime exerce des pressions considérables sur la presse. De nombreux journalistes turcs sont incarcérés ou passent en jugement au prétexte d'avoir porté atteinte à la sûreté de l'État. Dans le même temps, Recep Tayyip Erdoğan, qui vient de congédier son Premier ministre, l'universitaire Ahmet Davutoğlu, veut incriminer des dizaines de députés, faire lever leur immunité, en particulier les députés du parti prokurde

HDP, de façon à obtenir à l'Assemblée la majorité qui lui est nécessaire pour passer à un régime complètement présidentiel, sans réels contre-pouvoirs. Tout cela soulève de graves questions. Alors que l'exécutif européen était plutôt favorable à un assouplissement des relations avec la Turquie, afin de réduire l'afflux de réfugiés, le Parlement européen, solidaire des députés turcs persécutés, met le holà. Pour bien comprendre la situation, il serait nécessaire de beaucoup mieux savoir ce qui se passe en Turquie. Voilà un autre domaine, outre les études arabes et iraniennes, où il importe en urgence de renforcer notre expertise.

Pour préparer cette chronique je me suis inspiré d'un très bon livre, intitulé *Erdoğan, le nouveau père de la Turquie*, dont la presse n'a pas assez parlé, qui vient d'être publié aux éditions François Bourin par Jean-François Pérouse, le directeur de l'Institut français d'études anatoliennes, et le journaliste Nicolas Cheviron. Les auteurs vivent à Istanbul et sont parfaitement turcophones. Le livre montre comment le président Erdoğan est en train de devenir une sorte d'Atatürk *bis* sans la modernisation par la laïcité, mais avec l'islamisation, conservant une relation autoritaire populiste avec les Turcs.

Comment construire la relation nécessaire de l'Union européenne avec la Turquie ? Cette question est très complexe. Angela Merkel, pour complaire au « nouveau père » de la Turquie, a accepté qu'un animateur et satiriste de la télévision allemande qui s'était moqué de lui soit poursuivi devant les tribunaux, une décision qui devrait valoir de très grosses critiques à la chancelière.

— *« Le danger turc » fait également la couverture de* L'Express *ce matin. Recep Tayyip Erdoğan est-il en situation de gouverner la Turquie encore longtemps ?*

Il souhaiterait devenir président à vie...

— *Évidemment, mais d'autres forces ne pourraient-elles faire contrepoids ?*

Aujourd'hui, pas vraiment. Il y avait eu une forme de rejet de la mainmise de l'AKP, le parti du président, sur le pays lors des pénultièmes élections législatives, en juin 2015, puisqu'une coalition entre la gauche républicaine, le parti prokurde et l'extrême droite aurait dû gouverner le pays, mais ses composantes étaient trop disparates pour s'entendre. Le parti au pouvoir a utilisé une stratégie de tension, et les Turcs, inquiets à juste titre de l'exemple terrifiant donné par le chaos syrien, ont préféré accorder leurs suffrages au président Erdoğan, une valeur qui leur semblait relativement sûre, même si elle ne l'est plus tout à fait après la reconquête de la majorité par l'AKP aux élections de novembre 2015. Depuis lors, en effet, la violence ne fait que s'aggraver à la frontière turco-syrienne et dans le reste du pays.

25 mai

Pourquoi Tariq Ramadan
veut-il devenir français ?

— Une question rien moins que théorique ce matin :
pourquoi un citoyen helvétique, Tariq Ramadan pour ne
pas le nommer, veut-il devenir français ?

Au moment où vous venez de payer votre deuxième
tiers provisionnel, tandis que notre classe moyenne
écrasée d'impôts s'exile à Genève, Bruxelles, Londres
ou ailleurs, pourquoi diable un Suisse veut-il devenir français ? Je prononçais une conférence à Zurich
la semaine dernière, et un certain nombre de personnes stupéfaites m'ont posé cette question. Tariq
Ramadan, prédicateur vedette genevois, a suscité
quelque polémique quand il a ouvert ce dossier.
S'étant déclaré « Français de cœur », il a dit qu'il
voulait donner un exemple positif d'adhésion aux
valeurs de la République pour poursuivre son engagement envers le vivre-ensemble... Cela n'a pas été
du goût de Manuel Valls, qui a estimé qu'il n'y avait
aucune raison que ce dernier obtienne la nationalité
française, au motif que les valeurs de la République
sont précisément « contradictoires avec son message ».
Depuis, la polémique a enflé.
Tariq Ramadan est le petit-fils de Hassan al-Banna,

fondateur en 1928, en Égypte, de la Société des Frères musulmans, matrice de l'islamisme moderne, dont l'objectif était la restauration du califat islamique, mais par des moyens différents de Daech. Il lui a consacré une thèse en forme de panégyrique et dispose d'une chaire très bien dotée par le Qatar à l'université d'Oxford. Il a dirigé dans l'émirat le centre de recherche sur la législation islamique et l'éthique avec le cheikh d'origine égyptienne Youssef al-Qaradawi, une autre grande figure des Frères musulmans. Le prédicateur de Genève a fait ces dernières semaines des tournées à travers toute la France, organisant des meetings rassemblant de nombreux jeunes musulmans.

Mais pourquoi s'intéresse-t-il à la France au point de demander la nationalité en arguant que son épouse est française ? Tariq Ramadan ne peut pas ne pas avoir remarqué que la fragmentation du vote des musulmans fait surgir un créneau pour une personnalité comme la sienne, qui pourrait capter une partie de l'électorat jeune des quartiers populaires, où il bénéficie d'une assez grande popularité. Dans la mesure où les différents candidats à la présidentielle, mais aussi aux législatives et aux municipales, s'efforcent de capter ce vote, il y a place pour un entrepreneur politique de ce type, capable de négocier les voix en question.

Lors de l'élection présidentielle de 2012, 80 % à 90 % des électeurs se définissant comme musulmans — selon les sondeurs, et il faut prendre cette définition avec réserve, car il n'existe pas de recensement confessionnel en France — avaient voté pour François

Hollande. Ce dernier ayant été élu avec une marge relativement faible, si ce bloc de voix ne s'était pas porté vers lui, il n'aurait sans doute pas emporté le scrutin. Mais la gauche a ensuite largement perdu ces suffrages, à la fois à cause de la persistance des problèmes d'emploi et de chômage, mais aussi parce que la « Manif pour tous » a fragmenté cet électorat, après que certains prédicateurs ont appelé en chaire à sanctionner les socialistes, « corrupteurs sur la terre », pour la légalisation du mariage homosexuel.

Cet électorat, désormais beaucoup plus dispersé qu'en 2012, ne se reconnaît pas véritablement dans l'offre politique actuelle, et l'on voit bien comment un Tariq Ramadan peut espérer y trouver un créneau. Cela suscite toutes sortes de polémiques, et recompose également en partie ce que Manuel Valls appelle la « mouvance islamo-gauchiste », qui fait un bout de chemin avec des personnalités telles que Tariq Ramadan, appartenant à une tendance islamiste soft. Cette recomposition s'exprime aujourd'hui dans des phénomènes aussi divers que la célébration par une association estudiantine du « Hijab Day » à Sciences Po — afin de faire expérimenter aux étudiantes comment on se sent en portant le voile — ou la tenue d'une université d'été « décoloniale » interdite aux Blancs et aux couples mixtes, organisée par le parti des Indigènes de la République et quelques compagnons de route universitaires... Selon moi, ces simulacres qui se jouent à l'extrême gauche avec certains islamistes sont de même nature que la demande de naturalisation du populaire prédicateur.

— *Pensez-vous que sa demande puisse aboutir ?*

La nationalité est le fait du prince. On peut toujours ester devant les tribunaux, mais cela prend du temps. Si l'on imagine la France au prisme du roman de Michel Houellebecq *Soumission*, dans lequel, en 2022, un personnage de fiction, Mohammed Ben Abbes, qui ressemble un peu à Tariq Ramadan, devient chef de l'État, il n'est pas sûr qu'à cette date ce dernier puisse se présenter à l'élection présidentielle. Mais, comme on dit, *inch'allah.*

JUIN 2016

1er juin

La Grèce sur le front migratoire

— *Vous voulez évoquer ce matin la question des réfugiés et de leur transit par la Grèce. Quels problèmes, selon vous, cela pose-t-il à ce pays déjà durement touché par les problèmes économiques ?*

Vue d'Athènes, où je me trouve, l'arrivée de Turquie de cinquante-cinq mille réfugiés syriens, irakiens, afghans fuyant ce Moyen-Orient bouleversé par le chaos des guerres civiles pose à la Grèce de graves défis. Sont en jeu sa gouvernance immédiate, son rapport avec l'Union européenne, son voisinage avec la Turquie, « l'ennemi héréditaire » pour les anciennes générations, et des problèmes d'identité particulièrement aigus.

La Grèce, qui était il y a peu en état de quasi-faillite, doit gérer sur son territoire un flux ininterrompu de migrants. Elle se perçoit désormais comme un pays de transit vers les États plus riches de l'UE, mais certains de ceux-ci ne souhaitent pas accueillir ces migrants et bloquent leurs frontières. L'État hellénique voit se multiplier sur son sol les camps de réfugiés sur le modèle de la « jungle » de Calais. L'un d'eux a été démantelé à Idoméni, à la frontière nord. L'ancien aéroport d'Athènes a été transformé en camp d'accueil pour des milliers de personnes, ce qui ne va pas sans poser des difficultés à la fois de salubrité publique et d'insertion sociale dans un pays où le chômage est véritablement massif et où tout le monde se pose la question du devenir de ces nouveaux arrivants.

Par-delà ces interrogations socio-économiques, la question des réfugiés massés sur les îles qui jouxtent la côte turque a ravivé nombre de débats concernant l'identité grecque et ses frontières. La mer Égée fait régulièrement l'objet de contentieux portant sur la délimitation des espaces aériens des deux pays. En laissant passer de nombreux réfugiés vers les grandes îles les plus proches de son littoral, comme Lesbos, Chios, Kos ou Leros, la Turquie du président Erdoğan a testé d'une manière « soft », si je puis dire, les capacités de l'État grec à assurer la garde du flanc oriental méditerranéen des frontières de l'UE.

Dans la mémoire collective, cela évoque la submersion de la nation hellénique par les diverses vagues musulmanes du passé, lesquelles ont abouti à la destruction de Byzance par l'Empire ottoman, puis à la libération de la Grèce moderne à partir du début du XIXe siècle et finalement à l'expulsion *manu militari* de tous les Grecs résidant en Asie mineure depuis l'Antiquité, lors de la constitution de la Turquie d'Atatürk dans les années 1920. Ces souvenirs, qui touchent au plus profond de l'identité, ont été ranimés par les mouvements nationalistes et d'extrême droite locaux. Cela ne signifie pas que les Grecs nourrissent un contentieux avec les Syriens. Traditionnellement, la politique régionale a plutôt été proarabe, parce que antiturque, et en assez mauvais termes avec Israël. C'est du Pirée, par exemple, que sont partis beaucoup de bateaux de la « flottille pour Gaza » qui a tenté de forcer le blocus israélien en juin 2010, à l'initiative de partis d'extrême gauche.

Aujourd'hui, la question des réfugiés est en train de tester la capacité de l'Union européenne à soutenir à sa frontière un de ses membres parmi les plus faibles et les plus exposés à cet immense problème qu'est devenu le chaos moyen-oriental. La politique de voisinage méridional de l'UE avait jusqu'à présent principalement pour partenaires les États du sud-est de la Méditerranée. Aujourd'hui, les flux de réfugiés proviennent d'États effondrés. Telles sont les limites du pouvoir de projection de Bruxelles, dont les Grecs ont l'impression de faire les frais.

— *Selon vous, cette situation peut-elle s'améliorer à court terme ?*

Je ne crois pas, même si, quand on se promène à Athènes, on n'a pas le sentiment d'être dans un pays submergé par les flux migratoires, comme on le lit parfois dans la presse. On y voit beaucoup plus rarement qu'à Paris des femmes voilées, intégralement ou non. Néanmoins, on sent que la tension monte. Les Grecs pensent que Bruxelles se lave les mains de toute l'affaire. L'UE s'est contentée d'envoyer quelques policiers faire des fichages dans les îles proches de la Turquie pour s'assurer que des djihadistes n'étaient pas cachés parmi les réfugiés. On se souvient que deux des kamikazes du Stade de France étaient passés par Leros et qu'Abdelhamid Abaaoud avait séjourné à Athènes pour mettre au point son réseau.

8 juin

Autriche :
l'extrême droite et les réfugiés

— *Vous êtes au téléphone depuis Vienne. L'extrême droite locale a prospéré à la faveur de l'afflux massif en Autriche de réfugiés du Moyen-Orient. Le candidat de l'extrême droite n'a perdu que d'une courte tête à la dernière élection présidentielle. Quelle est votre analyse de la situation ?*

J'ai été invité à participer à un débat sur la question devant un public viennois. L'Autriche est-elle
maudite par son passé, et l'*Anschluss*, ou annexion,
par l'Allemagne nazie n'a-t-elle finalement jamais été
digérée ? S'agit-il d'une sorte de retour du refoulé
ou, au contraire, d'une réaction à des changements
majeurs dans la démographie et la projection de soi
de ce pays ? L'Autriche a récemment défrayé la chronique en décidant de fermer ses frontières et de faire
barrage à la prolongation de la route des Balkans, ce
flux de réfugiés et de migrants venus de Syrie, d'Irak,
d'Afghanistan et d'ailleurs, attirés par l'appel d'air créé
par Angela Merkel et son *Wir schaffen das* (nous réus-
sirons) de l'an dernier qui a vu affluer en Allemagne
plus d'un million de réfugiés.

Tout cela non seulement questionne l'identité
autrichienne et sa place dans l'Union européenne,
mais constitue également un thème de réflexion pour
l'ensemble des pays européens. La situation n'est pas
très éloignée de celle de la France à la fin de 2015
lorsque, en décembre, aux élections régionales, le
Front national a obtenu au premier tour un score de
27 %, soit près de huit millions de voix. Au premier
tour de l'élection présidentielle autrichienne, le candidat d'extrême droite est arrivé en tête pour n'être battu
au second, le 22 mai dernier, que de quelque trente
mille voix[1]. Il s'agit probablement, comme en France,
d'un signe envoyé par les électeurs à une classe poli-

1. Le 1er juillet, la Cour constitutionnelle autrichienne a invalidé

tique usée et désavouée, mais finalement, au second
tour, en Autriche comme en France, ceux-ci n'ont pas
pris le risque de remettre les leviers du pouvoir — de
la nation ou des régions — entre les mains de partis
dont ils ne sont pas totalement sûrs.

Rappelons que Vienne a été la pointe extrême de
l'expansion du djihad ottoman en 1683 et que c'est
de là que le califat de l'époque a été repoussé, pour
amorcer ensuite un lent déclin jusqu'à sa disparition en même temps que les autres empires centraux
après la Première Guerre mondiale. La répartition de
la population de Vienne aujourd'hui est révélatrice
de la situation d'un pays pris entre l'enclume de la
mondialisation et le marteau de l'immigration. Autour
de la cathédrale Saint-Étienne, point culminant de la
ville et son centre historique, on trouve les restaurants
chics, les bâtiments ultrarestaurés et les rues où l'on
n'entend quasiment que de l'anglais. Cette Vienne-là
est une capitale touristique totalement mondialisée.
Autour se déploie une première couronne d'habitat,
où l'on parle le dialecte viennois. Vient ensuite une
couronne plus large où la langue utilisée est de plus
en plus le turc. C'est là, à peu près à l'endroit où les
armées ottomanes avaient établi leur camp quand elles
encerclaient Vienne lors du fameux siège de 1683, que
réside aujourd'hui — ironie de l'Histoire — la population immigrée originaire de Turquie.

---

ce résultat en raison d'irrégularités dans le dépouillement des suffrages.

En dépit des particularités de la rhétorique politique autrichienne, il s'agit du même dilemme auquel est confrontée l'Union européenne aujourd'hui. Comment peut-elle gérer la globalisation, éviter la destruction de ses emplois et intégrer, du fait de son déficit démographique et de son vieillissement, les populations venues de l'étranger nécessaires à sa croissance, comme à sa survie ? C'est cette question clé qui est posée à nos élites et dont l'absence de réponse nourrit le rejet dont elles font l'objet, en France comme en Autriche, aux Pays-Bas ou au Danemark et, de manière croissante, en Allemagne.

15 juin

D'Orlando à Magnanville

— *D'Orlando à Magnanville, nous assistons, expliquez-vous, à la consolidation d'un djihadisme de troisième génération. Pourriez-vous préciser cette idée ?*

En réalité, celui-ci est apparu en 2005 dans un manuel de seize cents pages mis en ligne par Abu Musab al-Suri et intitulé *Appel à la résistance islamique mondiale*, que nous avons déjà évoqué. Contrairement à Ben Laden, qui envoyait des exécutants très bien formés sur des cibles déterminées à l'avance, comme

les tours jumelles du World Trade Center et le Penta-
gone le 11 septembre 2001, on observe depuis le début
de la décennie 2010 un djihadisme de proximité, où
des individus procèdent à des attentats dans leur environnement immédiat, parfois au hasard, ou sur des
cibles choisies pour l'effet de sidération qu'elles pro-
duiront sur les populations et dans les médias. Tout
cela vise à faire progresser l'idéologie djihadiste en
terrorisant l'adversaire. Orlando et Magnanville ont
cela en commun.

Pourtant, rien ne relie en apparence la ville de Floride, avec son Disney World, sa population latino,
ses clubs gays, ses nombreux touristes, et la petite
commune des Yvelines qui était, j'imagine, inconnue de la plupart des auditeurs de France Culture
jusqu'à avant-hier, sinon la personnalité des deux
tueurs. Omar Mateen, originaire d'Afghanistan et
de nationalité américaine, a apparemment subi une
conversion relativement récente aux idéaux de l'État
islamique, mais il a été élevé dans un milieu où il a
été socialisé à certaines mœurs américaines, en particulier à la logique des *mass killings* et à la facilité
d'acheter des armes librement. Selon certains de ses
contacts, il aurait eu une relation compliquée, hon-
teuse, à l'homosexualité. Quand il s'est rendu dans
le bar gay *The Pulse*, à Orlando, il a ciblé un groupe
puissant, bien organisé, dont il savait que la tuerie
aurait des répercussions immenses, jusque dans la
campagne électorale américaine. Donald Trump s'en
est immédiatement emparé.

À Magnanville, le profil du tueur est bien plus habituel. Ce n'est pas quelqu'un qui a basculé dans le djihadisme récemment, mais qui a un lourd passé puisqu'il a été incarcéré et condamné pour ce chef d'accusation. Il avait intégré dès 2011 un groupe djihadiste présent en France qui envoyait des combattants au Pakistan. Libéré en 2013, il a ciblé un individu de son voisinage parce qu'il était policier, comme le préconisent les manuels djihadistes de troisième génération. Le meurtre a franchi un cap supplémentaire dans la violence et l'horreur (voir p. 32).

Il ne s'agit en rien de loups solitaires. Ce sont des gens qui, quel que soit leur profil de passage au djihadisme, suivent les indications qui figurent dans ces manuels[1].

22 juin

Daech, Israël (… et les Palestiniens)

— De Jérusalem où vous vous trouvez, pourriez-vous tenter d'esquisser les conséquences de la montée en puissance de Daech vis-à-vis du conflit israélo-palestinien ?

---

1. Dans le cas de Magnanville, le tueur était en lien avec le djihadiste Farid Kassim, comme le dépouillement de ses communications téléphoniques le révélerait bientôt.

Les cartes changent au Moyen-Orient du fait de l'effondrement de l'État syrien, de la fragmentation de son unité territoriale. Cela ne va pas sans conséquence sur la question israélo-palestinienne, qui a toujours été structurante dans le système conflictuel global du Moyen-Orient. Traditionnellement, la frontière entre Israël et la Syrie était assez stable, avec des divisions militaires massées des deux côtés. De temps en temps, les Druzes résidant du côté du Golan conquis par Israël après la guerre de juin 1967 exportaient leurs produits fruitiers vers Damas grâce à la Croix-Rouge. Il régnait une paix froide, et il ne se passait pas grand-chose. La donne a complètement changé puisque les quelques kilomètres de frontière entre les deux pays sont aujourd'hui divisés du côté syrien en trois fragments. Au nord se trouve l'armée de Bachar el-Assad, épaulée par les milices du Hezbollah surtout basées sur les territoires druzes et qui protègent la frontière libanaise un peu au-delà. Juste au-dessous, se situe un grand territoire contrôlé par le Front al-Nosra, affilié à al-Qaida. Un peu plus au sud se trouve un autre morceau de territoire dans le triangle formé par les frontières jordanienne, israélienne et syrienne, contrôlé par l'État islamique.

Les forces de Daech et celles du Front al-Nosra passent actuellement leur temps à se battre. La situation est tout à fait curieuse. Pourquoi ces djihadistes ont-ils pris position à côté de la frontière israélienne extrêmement bien protégée par les moyens les plus modernes de l'électronique de défense ? Parce qu'ils savent que cela les abrite de la répression syrienne. Quand un avion du régime de Damas s'approche pour les bombarder, il est immédiatement abattu par Israël s'il frôle son territoire. L'entité sioniste exécrée assure donc paradoxalement leur sécurité. En même temps, ces groupes bénéficient d'un ancrage local, ce qui ouvre à une analyse microcosmique de la manière dont les mouvements islamistes radicaux se sont implantés dans la région. Au départ, on a des milices de village sunnites qui détestent le régime. Quand reviennent ceux qui ont passé du temps dans les prisons politiques de Damas, ils sont radicalisés par les tortures qu'ils ont subies et font basculer dans le djihadisme les autres miliciens, surtout dans les zones sunnites hostiles à la coalition des minorités druzes, alaouites, chrétiennes et autres qui soutiennent Bachar el-Assad et habitent des villages voisins. Cette situation provoque une mosaïque d'affrontements inter- comme intraconfessionnels.

Pour Israël, la présence de tous ces groupes sur sa frontière ne laisse pas d'inquiéter, quoiqu'un État syrien certes faible, mais pas complètement effondré, représente temporairement la moins mauvaise des solutions. La politique israélienne n'encourage nullement à une action occidentale qui ferait tomber Bachar el-Assad le plus rapidement possible. L'effondrement du régime sans garantie d'un ordre alternatif à Damas, quel qu'il soit, avec lequel traiter, poserait des problèmes immenses. Mais l'État hébreu ne voit pas pour autant sans préoccupation la montée en puissance de l'Iran et du Hezbollah, qui a construit toute sa légitimité sur ses attaques contre l'« entité sioniste ». Pour l'instant, Jérusalem compte les points, tandis que ses adversaires historiques se déchirent.

JUILLET 2016

15 juillet

Nice, le jour d'après

— *Tragédie, horreur, barbarie, la France a replongé dans l'horreur à Nice tard hier soir, avec ce camion qui a foncé dans la foule sur la promenade des Anglais, tuant plus de quatre-vingts personnes et faisant des centaines de blessés. La France est une nouvelle fois frappée par le terrorisme. Pourquoi sommes-nous toujours les cibles de tels attentats ?*

De nombreuses raisons peuvent l'expliquer. Paradoxalement, les Alpes-Maritimes sont le deuxième département exportateur de djihadistes en Syrie et en Irak, le premier étant la Seine-Saint-Denis. L'auteur de l'attaque, Mohamed Lahouaiej-Bouhlel, est un Tunisien de trente et un ans. Sur la Côte d'Azur, l'immigration maghrébine est principalement d'origine tunisienne, alors que, dans le Var et les Bouches-du-Rhône, elle est algérienne, et, de l'Hérault jusqu'à la façade atlantique, marocaine. Or la Tunisie a connu très tôt son « printemps » arabe, dès le printemps 2011, et ses prisons ont vite été vidées de la plupart des djihadistes radicaux, comme de tous les prisonniers politiques qui avaient été enfermés par le régime honni de Ben Ali. De ce fait, la relation entre l'islamisme radical tunisien le plus extrême et la France est passée prioritairement par les Alpes-Maritimes. Par ailleurs, ce département est celui où a sévi le plus important des recruteurs du djihadisme français en la personne d'Omar Omsen, un Sénégalais qui a vécu dans le quartier de l'Ariane à Nice (voir p. 26).

Les réseaux y sont donc très structurés, et depuis longtemps. L'environnement y est également assez favorable. Le *modus operandi* du carnage de la promenade des Anglais se trouve dans tous les documents de communication de Daech. Ceux-ci font de l'Europe le talon d'Achille de l'Occident et la cible prioritaire du djihad, avec une forte demande d'attentats de proximité utilisant tous les moyens possibles. Le premier attentat de ce « troisième type », si j'ose dire, est celui commis par Mohamed Merah le 11 mars 2012 ; le dernier, à ce jour, est celui de Nice. Chaque fois, le choix des armes comme celui des cibles sont laissés à l'initiative du ou des tueurs afin d'échapper à la vigilance des services de sécurité. À Nice, l'arme est un camion de dix-neuf tonnes conduit par un chauffeur-livreur professionnel, et la cible indifférenciée les spectateurs du feu d'artifice le soir de la fête nationale.

— *L'attentat n'a toujours pas été revendiqué. Y a-t-il le moindre doute qu'il porte la marque de l'État islamique ?*

Le dernier attentat en date avant Nice est l'assassinat d'un policier et de sa compagne à Magnanville, puis la mise en ligne d'une vidéo appelant à la condamnation à mort d'un certain nombre de personnalités. Les assassinats ont été commis à l'arme blanche, des instruments de la vie quotidienne, d'où la prise au dépourvu des services de sécurité. Dès 2005, des préconisations ont été clairement formulées par les manuels du djihadisme de troisième génération pour susciter la panique dans les sociétés européennes et épuiser les forces de l'ordre.

— *En étirant en outre la menace à l'ensemble du territoire ?*

C'est écrit noir sur blanc. Il est très difficile de savoir si les gens qui réalisent ces actes obéissent à des instructions venues d'une quelconque cellule qui se trouverait à Rakka ou ailleurs sur le territoire du « califat » ou s'ils sont formatés de telle sorte à s'« autodéclencher » et à prendre eux-mêmes les décisions[1]. Il faut dire qu'hier le symbole était particulièrement bien choisi et que l'effroi en est décuplé.

---

1. L'exploitation des communications téléphoniques du meurtrier

— *On craignait une attaque pendant l'Euro et finale-ment elle se produit le 14 Juillet, jour de fête nationale.*

Hier encore, il régnait dans le pays une sorte de sentiment de soulagement : rien n'était venu ternir l'Euro ; les Bleus étaient allés en finale ; les Français avaient retrouvé le moral. Le président de la République avait même annoncé qu'il suspendrait l'état d'urgence... Cela montre qu'un individu comme Mohamed Lahouaiej-Bouhlel est capable, par son seul acte, d'influer sur les discours et les décisions au sommet du pouvoir et de révéler les faiblesses de l'État et de son chef.

— *Après les attentats-suicides du 13 novembre et de Bruxelles, les services du renseignement intérieur français redoutaient le passage à un autre mode opératoire et l'uti-lisation d'un véhicule. Cette menace était-elle donc déjà identifiée ?*

Oui, car on savait qu'il est beaucoup plus simple, paradoxalement, de louer un camion et de rouler dans la foule que de piéger un véhicule. Dans le second cas, il faut se procurer des explosifs, au risque de se faire repérer. Avec l'attentat de Nice, le ratio est optimal entre la simplicité de l'opération et le désarroi répandu

------

montrerait ultérieurement qu'il était en contact avec des Français d'origine maghrébine se trouvant dans le territoire de l'État islamique.

dans la population. Pour les idéologues de ce djihadisme, dont j'ai analysé les textes et les idées dans
Terreur dans l'Hexagone, l'objectif ultime est de déclencher une guerre civile par l'exacerbation des tensions
entre la société dans son ensemble et sa composante
musulmane. Selon eux, cette montée aux extrêmes
devrait conduire à des attaques de mosquées et à des
pogroms, et ainsi fracturer la nation en ghettos confes-
sionnels antagonistes, jusqu'à ce qu'elle s'effondre
dans une guerre civile d'enclaves. Je ne suis toutefois
pas certain que cette stratégie fonctionne bien.

— *Est-ce pour cette raison que vous dites que le terrorisme, à terme, pourrait affaiblir Daech ?*

Les deux victimes qui ont livré les premiers témoignages après la tragédie de Nice étaient elles-mêmes,
d'après leurs prénoms, d'origine musulmane[1]. Plus les
attentats sont aveugles, plus ils s'attaquent de façon
indifférenciée à la société française, y compris à ceux-là
mêmes que leurs commanditaires voudraient recruter,
plus s'affaiblit leur capacité à le faire. C'est exactement
ce qui s'est produit durant la guerre civile algérienne,
dans les années 1990, quand le GIA, incarnant la
première génération du djihadisme, a déclaré que les
musulmans qui ne le suivaient pas étaient des apostats et que leur sang était licite. Si tout le monde est

---

1. Le décompte final ferait apparaître que trente des quatre-vingt-
six morts étaient d'ascendance musulmane.

infidèle ou apostat, c'est l'apocalypse par le massacre généralisé. À force d'exactions et d'attentats, coûtant la vie à plus de cent mille Algériens, le GIA a perdu tout soutien populaire, ce qui a favorisé sa destruction par les services de sécurité algériens.

— *Les frappes qui touchent les positions de Daech, en Syrie notamment, et qui l'affaiblissent ont-elles une incidence sur la commission d'attentats en France ?*

Je ne pense pas qu'il existe une relation mécanique entre les deux phénomènes. Nous ne sommes plus dans la logique pyramidale du 11 septembre 2001, où un Oussama Ben Laden forme des exécutants pour apprendre à piloter, les munit de cutters, puis les envoie prendre plusieurs vols de façon coordonnée. Nous sommes dans un djihadisme de type réticulaire, qui fonctionne en réseau : des individus sont préparés psychologiquement, endoctrinés intellectuellement et formatés pour se déclencher. Lahouaiej-Bouhlel a-t-il choisi de lui-même cette date et ce lieu très significatifs et symboliques ? L'enquête le dira peut-être, mais il n'existe pas à mon avis de relation mécanique entre son geste et les frappes en Syrie, qui, du reste, ne sont pas uniquement françaises[1].

Du fait de la tension et de l'état de guerre entre la

---

1. La revendication ultérieure par Daech de l'« opération d'écrasement » de Nice prendrait prétexte d'une rétorsion aux frappes sur le « califat ».

Turquie et le nord de la Syrie, puisque la quasi-totalité de la zone frontalière syro-turque est occupée, côté syrien, par des groupes d'indépendantistes kurdes du PYD, il est presque impossible de la traverser. Il est donc extrêmement difficile pour les combattants français, ou autres, de l'État islamique de quitter le champ de bataille comme de le rejoindre. Les routes sont coupées, et, pour autant qu'on le sache, les djihadistes meurent en grand nombre, ce qui n'était pas le cas il y a quelques mois, quand ils expliquaient dans des vidéos à quel point la vie à Rakka était formidable. Il y avait alors une sorte d'utopie propagandiste qui n'est plus vraiment de mise.

— *Au cours de la nuit, François Hollande a d'ores et déjà annoncé un certain nombre de mesures. Il a prévenu que la France allait intensifier son intervention militaire en Irak et en Syrie. Sur le plan intérieur, l'opération Sentinelle sera renforcée, l'état d'urgence prolongé, et l'exécutif compte faire appel à la réserve opérationnelle pour redonner un petit peu de souffle et de voix aux policiers et aux gendarmes qui sont sous pression. Fin juin, vous disiez que l'État traitait le problème de la radicalisation avec de l'aspirine et du sparadrap, vous mettiez également en question l'efficacité des mesures qu'implique l'état d'urgence. Quelle action efficace l'État peut-il mener aujourd'hui ?*

L'efficacité de la réaction ne peut venir qu'à partir du moment où les responsables politiques au plus haut niveau réfléchissent à la menace à long terme, à sa dimension existentielle et essentielle. Le chercheur Olivier Chopin a expliqué que l'état d'urgence comportait une dimension psychologique positive, mais que son maintien pouvait se retourner en son contraire. En effet, prolonger une situation qui ne donne pas le sentiment aux citoyens d'être protégés revient à décrédibiliser la capacité de l'État à protéger.

Je le répète, le problème tient à ce que la réflexion de fond sur la nature exacte du phénomène n'est pas suffisamment menée. L'enjeu ne réside plus simplement dans les moyens de l'État. Vous l'avez rappelé, les policiers sont fatigués, et c'est du reste un des objectifs stratégiques des djihadistes, préconisé dès 2005, que de les harceler et les épuiser. Cela s'est produit à Magnanville il y a un mois, lorsqu'un couple de policiers a été tué et que, dès le lendemain, les forces de l'ordre étaient mobilisées pour encadrer la manifestation contre la loi travail, au terme de laquelle des casseurs ont saccagé l'hôpital Necker où était justement traité l'enfant du couple assassiné, ce petit garçon qui a vu une scène horrible, la mise à mort de sa mère par le tueur. Au même moment, des hooligans russes et anglais se trucidaient allègrement à Marseille. On avait ainsi trois temporalités différentes, celle du terrorisme, celle de la dérive d'un certain syndicalisme et celle du hooliganisme. Tout cela reposait sur les épaules de la police, qui ne peut pas tout gérer.

— Diriez-vous que la volonté de contrôle de la puissance publique est finalement dépassée, comme nous tous, par une menace protéiforme et diffuse ?

Certains s'inquiètent d'une dérive vers une sorte d'État autoritaire liberticide. Je ne pense pas que ce soit ce qui se prépare. Chaque citoyen ou résident de France se trouve en danger, lequel ne peut être pris en charge que par une mobilisation de l'ensemble de la société, dans toutes ses composantes. C'est très important, et il ne s'agit pas d'incriminer qui que ce soit. Le djihadisme ne sera éradiqué que si ses bases sociales le sont. La dimension sécuritaire est bien sûr importante, fondamentale même, mais elle montre ses limites devant de tels événements. Il faut mettre en œuvre un changement d'échelle, mais je ne suis malheureusement pas sûr que nos dirigeants en aient pris conscience.

— *Une dernière chose. L'attentat d'hier soir a frappé une ville, Nice, mondialement connue, un jour de fête nationale. Avons-nous raison d'en parler ce matin en lui accordant une telle ampleur, ne tombons-nous pas dans le piège de la surmédiatisation ?*

Si les médias responsables n'en parlent pas, d'autres le feront, les réseaux sociaux, par exemple, dont certains diffusent de façon quasiment transparente la communication des djihadistes. On ne peut leur laisser le monopole de la parole. Notre travail est d'analyser l'événement, de le mettre en perspective ; là réside toute la difficulté. Les services de l'État font ce qu'ils peuvent, mais une fracture menace notre société. Ce n'est que si elle se mobilise elle-même, si elle comprend ce défi qu'il pourra être relevé.

ÉPILOGUE

Djihadisme et « islamophobie » :
la double imposture

> Le mal est un mystère. Il atteint des sommets d'horreur qui nous font sortir de l'humain. N'est-ce pas ce que tu as voulu dire, Jacques, par tes derniers mots ? Tombé à terre à la suite de premiers coups de couteau, tu essaies de repousser ton assaillant avec tes pieds, et tu dis, tu répètes : « Va-t'en, Satan ! » Tu exprimais alors ta foi en l'homme créé bon, que le diable agrippe.
>
> Mgr Dominique LEBRUN, archevêque de Rouen,
> homélie en mémoire du père Jacques Hamel,
> Notre-Dame de Rouen, 2 août 2016.

Le 10 août 2016, la chaîne privée *Ansar al-Tawhid* du djihadiste « oranais-roannais » Rachid Kassim met en ligne sur la messagerie Telegram un document intitulé *Attaques ciblées*. Illustré de la silhouette d'un corps humain dont la poitrine se trouve au centre d'une cible, il fixe pour programme de « tuer les collabos pour la politique étrangère de l'État français contre le califat » et porte en sous-titre : « Guide pour lion solitaire qui souhaite faire une attaque ciblée ». Annoncé depuis plusieurs jours aux abonnés de la chaîne comme une « bonne surprise », ce texte est complété d'un autre concernant les « attaques de masse ». Tous deux prolongent les attentats de juin et juillet, en systématisent et explicitent la stratégie articulée, précisent leur mode opératoire et incitent à poursuivre dans cette même voie.

Cette infographie polychrome aux tons criards, truffée de fautes d'orthographe, rencontre un certain succès de voyeurisme sur les réseaux sociaux. Elle condamne à mort, quinze jours après le meurtre du père Jacques Hamel dans son église de Saint-Étienne-du-Rouvray, trente-cinq personnes nommément désignées dans un organigramme comportant neuf cases de couleurs différentes. De gauche à droite et de haut en bas sont répertoriées les rubriques « Religieux », « Politiques », « Pédocriminel », « Associatif », « "Sécurité-Justice" », « Experts anti-islam », « Culture », « Médias » et « Éducation ». Par-delà l'idéologie affichée et la raison invoquée pour justifier les assassinats, ce document représente une projection symptomatique de la vision du monde d'un djihadiste français adepte de Daech, ainsi que des prismes cognitifs à partir desquels celui-ci perçoit la société à détruire et les ennemis à exterminer. Elle est un guide précieux pour interpréter les itinéraires qui mènent de la France d'aujourd'hui au passage à l'acte terroriste, en restituant les trajectoires sociale, doctrinale et probablement psychique du personnage emblématique qu'est devenu Rachid Kassim, principale interface en ligne entre le « califat » bombardé par la coalition et l'Hexagone taraudé par les attentats de Daech.

LE KALÉIDOSCOPE DJIHADISTE

En apparence, ce tableau bariolé ressemble à une quelconque diapositive PowerPoint destinée à un support de conférence dans une entreprise ou une salle de cours. En réalité, c'est un kaléidoscope qui traduit la vision d'un monde brisé, fragmenté, propre à des individus disposant d'outils intellectuels approximatifs fournis par la subculture d'une jeunesse prolétarisée, gavée de représentations confuses où se mêlent médias audiovisuels et réseaux sociaux virtuels. Elle aboutit à une théologie négative, structurée autour d'un sentiment obsidional, nourri de paranoïa sociale généralisée.

Cette rédemption mortifère passe par l'assassinat d'individus iconiques, « vus à la télé » ou sur les réseaux sociaux, spécifiquement désignés. Ceux-ci sont accompagnés de listes de professions dont tous les membres sont également déclinés en tant que cibles légitimes du massacre apocalyptique par lequel Daech entend mettre en œuvre l'avènement du « califat » en France et en Europe. Des élus de la nation aux fonctionnaires de tous ordres en passant par les journalistes, artistes ou enseignants, c'est la classe moyenne entière qu'il s'agit d'exterminer, depuis les instituteurs jusqu'aux préfets.

Pareille haine sociale a pour vecteur une phobie psychique, l'homosexualité, qui cristallise les pulsions de meurtre par le ciblage spécifique des « Femen — Gay — Transgenre — LGBT », dans la rubrique « Associatif », et, dans une autre, au surprenant intitulé « Pédocriminel », par la condamnation à mort non seulement d'individus nommément identifiés, mais aussi de « toute personne liée au réseau pédocriminel de l'Élysée ou autre ». La réduction du pouvoir politique suprême, désigné par la seule métonymie de « l'Élysée », à la « pédocriminalité » sert à dévaloriser moralement la République et, du même coup, à justifier le châtiment divin pour transgression de tabous sexuels et religieux. L'usage de ce terme peu fréquent, surtout présent dans l'univers complotiste de l'extrême droite et rubriqué sur le site *Égalité et Réconciliation* d'Alain Soral (auquel est aussi emprunté le vocable « collabo » figurant dans le sous-titre de l'infographie), énonce l'obsession homophobe du « lion solitaire » à laquelle correspond l'offre idéologique de Daech lorsqu'elle lui indique ses prochaines victimes et le projette dans le martyre et l'accession au paradis.

Le psychiatre Serge Hefez, qui tient une consultation hospitalière destinée aux jeunes radicalisés, pointe les ravages spécifiques de l'« homophobie intériorisée » dans les velléités meurtrières des djihadistes de notre temps qui « vont pouvoir trouver une issue à leur désorganisation intérieure et légitimer leur vécu de persécution sous la bannière du djihad » (*Le Monde* du 15 août 2016). L'expression « lion solitaire », qui fait son apparition publique dans *Attaques ciblées*, insiste en effet sur la dimension individuelle, mais précisément incitée, de l'opération djihadiste qui caractérise par excellence la troisième génération. Elle substitue à la figure négative du loup celle, positive, du « roi des animaux », qui jouit dans l'imaginaire islamiste contemporain d'une place centrale, comme on l'a vu dans les vidéos de propagande d'al-Qaida au tournant de ce siècle.

Dans l'organigramme d'*Attaques ciblées*, les premières victimes de Daech par ordre d'importance sont les coreligionnaires ne partageant pas la même vision de l'islam. Dans la partie supérieure gauche de l'infographie, la rubrique « Religieux » identifie, sous le vocable d'apostats, quatre imams et prédicateurs de diverses tendances, y compris Frères musulmans et salafistes non djihadistes, et tout acteur de « l'islam de france » (*sic*). Puis sont visés les « francs-maçons de tous degrés et tout prosélyte laïque intégriste ».

Alors que le meurtre du père Hamel est encore dans les mémoires et que des juifs ont été massacrés comme tels à l'école Ozar-Hatorah de Toulouse par Merah le 19 mars 2012 et au supermarché Hyper Cacher de la porte de Vincennes par Coulibaly le 9 janvier 2015, les fidèles de ces deux confessions ne font pas l'objet de ciblage particulier dans cette rubrique intitulée « Religieux ». En termes strictement doctrinaux, en effet, ces derniers sont considérés comme des « gens du Livre », protégés de ce fait par l'islam sous certaines conditions de « soumission » contraignantes (*dhimmis*). Afin de se conformer à la lettre de la charia, l'auteur du texte ne peut donc pas les cibler sous peine d'apparaître lui-même comme hérétique. Ainsi que nous l'avons observé dans le prologue, il en va tout autrement en réalité. Les Juifs sont censés être des suppôts de l'« entité sioniste », de même que les chrétiens le seraient des « croisés » qui bombardent le califat. Leur assassinat devient *ipso facto* licite à ce prétexte.

En revanche, comme on le trouve systématiquement dans la littérature polémique islamiste contemporaine de toute tendance, les francs-maçons, dont rien ne précise le statut dans les Écritures sacrées de l'islam, révélées avant l'avènement de la maçonnerie moderne, sont tenus pour athées et, à ce titre, passibles de mort. Dans le raisonnement qu'illustre ce texte, ils constituent le paroxysme du « prosélyte laïque intégriste », également à abattre. Ce syntagme surprenant s'appuie d'abord sur la condamnation absolue du prosélytisme quand il est pratiqué par quiconque d'autre qu'un musulman, pour lequel il s'agit au contraire d'un impératif catégorique. La laïcité n'est pas comprise ici comme la neutralité de l'État, mais comme l'affirmation d'un État non islamique, projet sanctionné en outre par l'exécution de ceux qui y collaborent.

Quant à l'expression « laïque intégriste », elle recourt à une alliance de mots mise à la mode depuis la fin des années 1980 et la première affaire du port du hijab par des élèves au collège Gabriel-Havez de Creil en 1989. Elle avait à l'époque servi à rassembler contre l'intransigeance supposée de la laïcité républicaine des clercs chrétiens, juifs et musulmans en retournant contre celle-ci le stigmate de l'intégrisme, qualifiant ordinairement les religieux les plus fanatiques. Elle est désormais acclimatée par le djihadisme, qui, en taxant ainsi et paradoxalement ses adversaires, s'exonère du même coup de cette accusation préjudiciable, tant elle est devenue dépréciative dans l'usage courant du français contemporain.

La première place sur la liste des cibles est attribuée aux concurrents pour l'hégémonie sur l'islam dans l'Hexagone et personnifiée par des imams et prédicateurs de quatre tendances différentes, mais qui ont en partage de se référer à l'« islam de france ». L'absence de capitale à l'initiale du toponyme est délibérée : l'entité minuscule « france » n'est plus qu'un nom commun voué à une prochaine conquête islamique. Elle ne saurait incarner une identité nationale idolâtre aux lois de laquelle devrait se soumettre l'islam transcendant et universel. Les imams qui y contreviennent sont donc des apostats adorant une déité laïque à la place d'Allah, et passibles du châtiment suprême.

Pour Daech, il s'agit du djihad primordial : mobiliser leurs coreligionnaires sous leur bannière propre contre l'« islamophobie » dès lors que leurs provocations meurtrières auront suscité des réactions antimusulmanes. Dans ce projet, il est essentiel que les voix dissidentes soient éliminées, et sans cela cooptées. Les enjeux de ce combat et ses modalités apparaîtront à l'occasion des prises de position des élites françaises de culture musulmane et des incidents liés au port du

« burkini » sur les plages, dans les jours suivant la mise en ligne d'*Attaques ciblées*.

La deuxième rubrique, « Politiques », dont le pluriel transcrit l'usage familier « les politiques », désignant les individus se consacrant à cette carrière, n'est pas nominative, mais brasse un large spectre, dont seuls les centristes sont oubliés : « PS LR FN Vert [*sic*] PC FDG... Maires — Députés — Conseillers — Adjoints ». Elle recoupe la doctrine du djihadisme et de la plupart des salafistes qui tient pour illicite (*haram*) la politique si elle ne se réduit pas à la mise en œuvre de la charia. Ainsi la mise à mort de tout homme ou femme engagé y est-elle licite (*halal*). Le choix des fonctions ciblées, dont trois sur quatre renvoient aux élus de proximité (maires, conseillers, adjoints), concerne des individus à qui sont demandés, souvent sans succès, subventions, allocations, aides sociales, logements, etc.

OBSESSIONS HOMOPHOBES

Les troisième et quatrième rubriques, « Pédocriminel » et « Associatif », se focalisent sur la haine de l'homosexualité, punissable de mort, comme Daech l'illustre régulièrement et le publicise dans des vidéos montrant des « sodomites » précipités du sommet d'immeubles ou lapidés, en application d'un dit, ou hadith, du Prophète : « Qui que vous trouviez qui agit à la manière des gens de Loth [Sodome], tuez l'actif et le passif ! » L'authenticité de ce propos est contestée par la majorité des traditionnistes, les oulémas spécialistes du hadith, mais les salafistes et les djihadistes le tiennent pour véridique. Ces derniers le passent en bande déroulante dans l'original arabe de ces mêmes vidéos insoutenables pour en fournir la justification sacrée.

À Orlando, en Floride, un fils d'immigrés afghans, Omar Mateen, massacre les clients d'un club gay le 12 juin 2016 après avoir fait allégeance sur Facebook au calife de Mossoul. Cela rappelle l'actualité de cette menace mortifère jusque dans un pays occidental, quels que soient par ailleurs les antécédents psychiatriques attribuables à l'individu en question, plusieurs relations ayant témoigné de ses pulsions homosexuelles mal assumées comme de la violence de ses comportements en général, un profil que l'on retrouve pour partie chez le tueur de masse de Nice le 14 Juillet, le camionneur Mohamed Lahouaiej-Bouhlel. Cette liste obsessionnelle de cibles gays s'achève, dans la rubrique « Associatif », par l'expression « centres sociaux, etc. » On se rappelle que Rachid Kassim était lui-même, à Roanne, éducateur chargé de l'adolescence dans un centre social, « Le Moulin à vent ».

La rubrique suivante s'intitule « "Sécurité-Justice" ». Les guillemets figurent dans l'original, pour signifier que les institutions dont les personnels sont visés n'incarnent ni la sécurité ni la justice. Elles sont illégitimes, car pareilles instances ne sauraient procéder que de la charia.

« Judiciaire — Police — Gendarmerie — Armée — Magistrats — Juges — Policiers — Militaires — Personnel centre recrutement armée, centre formation pilote de chasse, Professeur — Étudiants écoles militaire, Surveillant pénitentier — aumônier ». Deux registres se mêlent dans cette énumération. Le premier, celui du délinquant ordinaire, recoupe tous les profils confrontés au long de l'itinéraire qui va de l'interpellation au jugement et à l'incarcération. Les personnels pénitentiaires ont déjà été premiers ciblés dans la liste rendue publique sur la vidéo de Larossi Abballa, le tueur de Magnanville, le 13 juin 2016.

Le 4 septembre, à la maison d'arrêt d'Osny (où avait été écroué Abballa), un détenu condamné à cinq ans d'emprisonnement pour avoir tenté de gagner la Syrie après l'attentat contre *Charlie Hebdo*, Bilal Taghi, vingt-quatre ans, incarcéré dans l'aile dédiée aux djihadistes, agresse un surveillant martiniquais avec un poinçon et manque le tuer de peu. Avant d'être maîtrisé, il blesse au bras et au visage un autre agent puis dessine un cœur avec le sang de sa victime et fait ses prières, répondant à l'appel d'Abballa relayé par cette infographie.

Les aumôniers, musulmans en l'occurrence, sont également perçus comme des agents de l'administration pénitentiaire et donc des apostats, rejoignant ainsi la toute première rubrique des « religieux » à abattre. Le second registre vise, outre les militaires qui patrouillent les rues de l'Hexagone dans le cadre de l'état d'urgence, ceux qui ont vocation à bombarder le territoire du « califat », justification par excellence du meurtre des « collabos pour la politique étrangère de l'État français contre le califat », comme le rappelle le sous-titre d'*Attaques ciblées*.

La sixième rubrique, « Experts anti-islam », comporte cinq noms, mêlant journalistes, commentateurs, responsables associatifs, ainsi qu'un universitaire arabisant dont le patronyme est fautivement orthographié avec deux « p » et qui figurait déjà sur la liste du tueur de Magnanville. Ils ont principalement en commun d'avoir été « vus à la télé », qu'ils se soient prononcés ou non contre Daech, et d'avoir apporté de la connaissance sur le phénomène. C'est un crime au regard de l'organisation, qui exige de contrôler totalement sa communication, après avoir dans un premier temps distillé des informations par le relais d'hommes de presse jugés fiables et désormais ciblés eux aussi.

La septième rubrique, intitulée « Culture », est divisée en trois sections. La première, « Rappeurs médiatisés », contient six noms, qui sont autant d'icônes des quartiers populaires et notamment des jeunes musulmans. On se souvient que Rachid Kassim s'était lui-même essayé au hip-hop, sans grand succès de médiatisation. « Il était persuadé d'être le plus grand rappeur de tous les temps », déclare Moustapha, une de ses connaissances, au quotidien local *Le Pays* (*lepays.fr*), le 29 juillet 2016. Et c'est avec une gestuelle de rap, couteau en main, qu'il scande, sur la vidéo du 20 juillet où il égorge deux otages : « Telle est la rétribution du peuple criminel qu'est le peuple français, qui n'hésite pas à sortir par centaines de milliers dans les rues pour son ventre, pour son contrat de travail, mais qui, sachant que ses impôts financent l'armée de Tsahal et le massacre des Palestiniens, les bombardements en Irak et au Shâm [...] n'élève pas une seule parole ! » Mais même si certains des rappeurs ciblés crient leur haine de la société française et font l'éloge de l'islam intégral, la violence extrême du slam de Kassim et le meurtre qui en résulte sont incommensurables avec les paroles de leurs chansons et leurs provocations visuelles. Ce dernier ne différencie plus la fiction de la réalité, traduisant celle-ci en celle-là pour en faire un clip à vocation propagandiste. On remarquera de nouveau dans son propos le ciblage de la classe moyenne honnie, qui manifeste seulement « pour son ventre », « son contrat de travail » et paie des impôts. Kassim lui-même, titulaire d'un CDI au centre social du « Moulin à vent » de Roanne, l'a rompu pour faire sa *hijra* en Égypte.

La deuxième section, « Tout "artiste" qui se prononce contre l'EI ou contre l'islam en général est une cible de premier choix », monte en généralités. En faisant de « l'EI » le garant de « l'islam en général », l'ancien artiste raté surfe sur l'approbation du massacre à *Charlie Hebdo* par des milieux bien plus larges que les sympathisants de Daech et sur le caractère sacrificiel de l'exécution des caricaturistes qui ont offensé le Prophète. Cela peut en effet créer des vocations djihadistes, comme le montre le cas d'Adel Kermiche, le tueur de Saint-Étienne-du-Rouvray, qui a entamé son itinéraire de radicalisation sous l'influence des frères Kouachi, en janvier 2015, à l'instar de Bilal Taghi, l'agresseur du surveillant de prison d'Osny.

La dernière section de cette rubrique « Culture » condamne à mort, sous l'intitulé « Intellectuels juifs », deux philosophes célèbres ainsi qu'une journaliste, en les faisant suivre de la mention « et autres partisans du meurtre d'enfants musulmans ». Si les Juifs n'avaient pas été visés comme tels sous la rubrique « Religieux », réservée aux apostats, aux francs-maçons et aux laïques, ils figurent au pinacle de la « Culture », dont ils sont censés contrôler les contenus selon la vulgate antisémite. Ils sont coupables d'un crime faisant écho à la « pédocriminalité » qui structure l'argumentaire d'*Attaques ciblées*. L'assassinat d'enfants, lieu commun de la rhétorique antijuive, se combine ici avec l'accusation rabâchée de tuer des enfants musulmans proférée contre les armées occidentales qui frappent le « califat », comme elle l'avait été contre Israël lors des bombardements de la bande de Gaza en 2014.

La huitième rubrique, « Médias », occupe l'espace le plus important de l'organigramme. Elle est en cela révélatrice des prismes de perception du monde propres au djihadiste français *lambda*, consommateur compulsif de médias audiovisuels et en ligne. Un seul quotidien sur support papier, *Le Figaro*, qualifié de « torchon », est mentionné, dont un unique rédacteur, spécialiste du Moyen-Orient, est spécifiquement incriminé, coupable sans doute de « désinformation » dans son traitement des vicissitudes de l'État islamique,

dont n'est *halal* que la propagande. Le reste de la
rubrique se consacre à l'audiovisuel et à Internet.

Intitulée « Médias de masse : TV : TF1 France
TV M6 BFM FR24 », la première section cible sept
journalistes, dont trois figuraient déjà sur la liste du
tueur de Magnanville. Les autres sont des animateurs
d'émissions de variétés sans rapport avec l'islam ni
Daech, mais qui personnifient des abcès de fixation
iconiques de la rage sociale et psychique d'un néoprolétariat de téléspectateurs « cathodiques pratiquants »
— pour reprendre l'expression du comédien Smaïn. Il
leur est donné l'illusion de renverser les idoles du petit
écran en éliminant leur incarnation, à la manière dont
le geste fondateur des religions révélées réside dans la
destruction des statues et des images des croyances
païennes.

La deuxième section, qui s'achève par *Le Figaro*, est
intitulée « Radio : animateur radio : Skyrock [suivie de
trois noms des principaux présentateurs] Europe 1 [un
journaliste vedette], RMC [*idem*] ». Là encore, c'est
au travers de la culture radiophonique de la jeunesse
populaire symbolisée par les programmes de Skyrock
qu'*Attaques ciblées* identifie son public. Cette station
a propagé le rap en France et donné voix aux quartiers relégués, notamment aux ados issus de l'immigration, dont elle a accompagné la visibilité sociale
par la reconnaissance onomastique à l'antenne, tout
en parlant crûment de sexualité sur les ondes et en
bousculant les tabous moraux et religieux. En cela, elle
est particulièrement pernicieuse, puisqu'elle « perver-

tit » cette jeunesse même qui est la visée première de la réislamisation à vocation djihadiste. « L'Oranais », du nom de scène de Rachid Kassim, n'a sans doute jamais eu les honneurs de Skyrock, mais il pousse au paroxysme son bagout de rappeur sur une « scène » réelle, la place publique d'une ville de la province de Ninive, où il exprime en slam ses menaces à François Hollande et à la France avant d'égorger ses victimes. Là encore, on remarque une *congruence* (voir p. 106) avec le « grand récit » propre à l'univers d'Alain Soral, qui a fait de la dénonciation de Skyrock un article de foi de sa « KontreKulture ».

La troisième section, intitulée « Agents russes et Nosayri », dénomination méprisante des Alaouites de Syrie dans la rhétorique sunnite, mentionne spécifiquement deux icônes de cette même mouvance soralienne, ainsi qu'« Équipe Spoutnik », un réseau digital qui relaie ce type d'idées par le biais de vecteurs d'influence liés au Kremlin et jouit d'une présence considérable sur la Toile. Elle a en point de mire les réseaux incarnés par l'idéologue Soral et son compère Dieudonné au travers du site Web « Égalité et Réconciliation » et de sa télévision en ligne ERTV, très en vogue chez la jeunesse populaire parmi laquelle la thématique négationniste se répand sur fond d'antisémitisme itératif. Pour Daech, qui reprend, comme on l'a vu, nombre de lexèmes appartenant au vocabulaire de la « KontreKulture » soralienne, ce sont de dangereux concurrents de proximité : ils ciblent le même public, alors qu'ils professent leur soutien à l'Iran et à Bachar el-Assad, détournant ainsi la solidarité envers le « califat » au profit du régime de Damas et du chiisme politique issu de la « révolution islamique » khomeiniste en général.

Une quatrième section s'intitule « Réseaux sociaux : tout collabo a la coalition anti-islam qui crache sur l'islam et l'EI sur twitter FB [Facebook] ou autres RS [réseaux sociaux]. Twitter : [suit le nom d'un internaute belge d'origine syrienne très hostile à l'EI] ». Sont visés ici les cybermilitants d'origine musulmane en Europe, qui font entendre une voix dissidente par rapport à l'idéologie djihadiste. Eux aussi sont perçus comme de pernicieux compétiteurs, car ils détiennent une crédibilité à la fois sociologique et culturelle auprès des « lions » potentiels.

La dernière rubrique a pour titre « Éducation ». Dans ses manuels, Daech enseigne aux élèves à compter les kalachnikovs et les poignards pour réaliser les quatre opérations arithmétiques (voir p. 159). Et l'on sait combien le lavage de cerveau de l'homme nouveau djihadiste débute au plus jeune âge, comme dans tout système totalitaire. L'assassinat des enseignants français, fourriers de la laïcité anathématisée, a déjà fait l'objet de communiqués de l'organisation et peut être considéré comme une revanche sur l'échec scolaire. Cette rubrique, à l'instar de « Politiques », « Associatif » et « "Sécurité-Justice" », ne contient pas de noms d'individus et se limite à la nomenclature « Fonctionnaires de l'éducation nationale / Directeur d'université lycée Sciences Po HEC Instituts français ».

Si tout ce qui relève de l'Éducation nationale est doublement abominé, puisqu'il n'est d'autre instruction qu'islamique et que la nation consiste en une idole à renverser, on note que l'administration de l'enseignement supérieur n'est guère familière à l'auteur du texte, qui ignore qu'une université dispose d'un président, et non d'un directeur, et un lycée d'un proviseur, à la différence d'une école primaire. Enfin, si HEC, l'École des hautes études commerciales, renvoie à un univers aussi abhorré qu'inaccessible pour les couches sociales défavorisées qui ne peuvent en régler les frais de scolarité, et si les instituts français, vecteurs de la culture nationale à l'étranger, sont haïssables par essence, on comprend mal pourquoi Sciences Po figure dans la liste. Certes, la « grande école » de la rue Saint-Guillaume s'est ouverte à un recrutement en ZEP (zone d'éducation prioritaire), qui lui a permis de former des jeunes issus des quartiers populaires aux valeurs de l'État, mais elle a célébré, au printemps 2016, à l'instigation d'une association islamique, le « Hijab Day », et les études sur le monde arabe y ont été simultanément détruites, ce qui la rendrait bien incapable désormais de « collaborer pour la politique étrangère de l'État français contre le califat ».

À l'analyse de ce manifeste — véritable *Que faire ?* du djihadisme français —, on distingue clairement les deux objectifs majeurs de la stratégie djihadiste suite à la commission des assassinats et attentats contre les cibles énumérées. Et l'on mesure son efficace, puisque, trois semaines après sa mise en ligne, un surveillant

de prison est agressé par un détenu qui a répondu à
l'une de ses injonctions. Le premier consiste à susciter des réactions d'exaspération de la société française, et notamment de sa classe moyenne exécrée,
qui se retourneraient de manière indiscriminée contre
les musulmans ou leurs institutions afin d'enrôler
ceux-ci au nom de la lutte contre l'« islamophobie »
sous la bannière de Daech, autoproclamé défenseur
de l'islam. Il sera possible alors de lancer la guerre
d'enclaves comme prélude à la guerre civile généralisée au terme de laquelle le califat sera édifié sur les
ruines d'une Europe défaite, selon les perspectives
stratégiques présentées dès 2005 dans les manuels du
djihadisme de troisième génération. Le second objectif
vise à discréditer comme « apostats » les élites musulmanes, religieuses ou sociologiques, qui représentent
pour Daech, sa mouvance et ses émules de dangereux
concurrents, à les éliminer physiquement, comme le
rappelle *Attaques ciblées* dans sa première rubrique, ou
à les coopter, pour certaines d'entre elles, sous la pression et la menace.

CE QU'OCCULTE LE BURKINI

    La période estivale 2016, inaugurée par la tuerie de
Nice et l'assassinat de Saint-Étienne-du-Rouvray, voit
se mettre en branle les deux processus. Le premier
prend pour objet de fixation le port du burkini sur

les plages françaises, tandis que le second se traduit par des tentatives concurrentes pour faire émerger un nouveau leadership musulman en France.

Dans la région marseillaise, alors même que vient d'advenir le massacre de Nice, l'initiative d'une association islamique dirigée par une convertie visant à réserver un centre aquatique pour une journée destinée aux femmes désirant se baigner en burkini soulève une polémique qui conduit les organisateurs à y renoncer le 9 août. Dans la foulée, la ville de Cannes, suivie par plusieurs autres, interdit le port du burkini. L'arrêté municipal stipule :

> — *Toute tenue de plage manifestant de manière osten-tatoire une appartenance religieuse, alors que la France et les lieux de culte religieux sont actuellement la cible d'attaques terroristes, est de nature à créer des risques de trouble à l'ordre public (attroupements, échauffourées, etc.) qu'il est nécessaire de prévenir.*

Contesté en justice par la Ligue des droits de l'homme et le CCIF (Collectif contre l'islamophobie en France), la plus dynamique des instances guignant l'hégémonie sur la représentation des musulmans, cet arrêté est validé par le tribunal administratif de Nice le 15 août eu égard aux « risques de trouble à l'ordre public ». La juridiction administrative se prononce dans l'urgence en considération d'opportunité, suite aux attentats, notamment au massacre du 14 Juillet sur la promenade des Anglais, en bordure de la plage de Nice, et afin d'éviter des réactions hostiles susceptibles de dégénérer. Le Premier ministre Manuel Valls exprime dans la foulée sa compréhension pour la mesure conservatoire prise à Cannes. En revanche, Jean-Pierre Chevènement, ancien ministre de l'Intérieur, qui avait organisé une large consultation sur l'islam lorsqu'il officiait place Beauvau entre 1997 et 2000 et est sollicité à présent pour prendre la présidence de la Fondation de l'islam de France, déclare que « les gens sont libres de prendre leur bain costumés ou non », ajoutant : « Ma position, c'est la liberté, sauf nécessité d'ordre public. »

L'ordre public, dans pareil climat de tension, se trouve justement mis à rude épreuve sur une plage de la commune de Sisco, en Haute-Corse, où, le 13 août, éclate une rixe entre des habitants du village et une famille élargie d'origine marocaine domiciliée près de Bastia qui avait entrepris de privatiser une crique dans laquelle pourraient nager les femmes loin des regards. Si la rumeur selon laquelle celles-ci portaient le burkini n'est pas avérée par l'enquête — elles se seraient en revanche baignées tout habillées —, les violences commises par les intrus et le risque de lynchage consécutif de ceux-ci par la population locale rapidement mobilisée nécessitent l'intervention massive des gendarmes. Incriminés et blessés sont évacués par hélicoptère.

Dans le contexte des attentats de Nice et de Saint-Étienne-du-Rouvray, les réseaux sociaux s'enflamment. Contrairement à ceux qui dénoncent rituellement l'islamophobie, de nombreux messages de sympathie

arrivent aux habitants du village du cap Corse. Ils inscrivent sur le même registre les meurtres perpétrés
par Daech et les voies de fait attribuées aux intrus à
Sisco et félicitent les Corses pour avoir défendu leur
territoire et leur mode de vie aux cris de « On est chez
nous ». Le contraste est souligné entre la passivité des
continentaux, qui ne savent qu'organiser des marches
blanches après chaque assassinat de Daech, démon-
trant ainsi leur faiblesse, et la résistance des insulaires
qui opposeraient à la violence « maghrébine » une *virtù*
« corse » supérieure et victorieuse.

Si les agissements de la fratrie marocaine à Sisco,
dont il s'avère qu'un des membres a des antécédents
judiciaires, et ceux de Daech ne relèvent pas de la
même logique, l'assimilation qui est faite dans une
partie de l'opinion entre comportement délictueux
imputé à des individus d'origine maghrébine et terrorisme islamiste est prémonitoire de la fracture que le
djihadisme de troisième génération souhaite creuser.
L'exacerbation de la tension se produit dans le climat
propre à la Corse. L'exécutif régional y est contrôlé
par des nationalistes aussi hostiles à l'« État français »
qu'à des immigrés musulmans parmi lesquels la progression du courant salafiste accroît les marqueurs
d'une affirmation religieuse de rupture. Cela est perçu
comme un défi à l'affichage omniprésent de l'identité
corse, elle-même construite sur une fracture linguis-
tique, culturelle et ethnique par rapport à la France.

Selon des schèmes comparables, le port du burkini
sur le continent est ressenti, à tort ou à raison, par ceux

qui s'en offusquent comme la volonté de conquête
de nouveaux territoires de la République dans la foulée des quartiers populaires passés sous l'emprise du
halal. On appréhende le grignotage par la charia et
ses normes ostensibles de « pudeur » affichées dans
un espace hédoniste où la société livre son intimité
par l'exhibition des corps quasi dénudés des individus qui la composent, communion néopaïenne du rite
balnéaire estival. Durant les deux dernières décennies, les plages publiques d'Algérie et d'Égypte ont
vu disparaître complètement les baigneuses en maillot
haram (illicite) sous la pression de la salafisation de
la société au profit d'une tenue de bain « intégrale »,
dont le burkini est la déclinaison commerciale ultime.
Le processus est aussi à l'œuvre en Tunisie, comme
le rappelle le mitraillage de vacanciers européens en
tenue de bain à Sousse, le 26 juin 2015, et au Maroc,
mais il s'y heurte à une certaine résistance de l'État,
soucieux de ne pas aliéner le tourisme étranger, et de
la classe moyenne « européanisée », dont les modes de
vie se voient diabolisés par barbus et voilées.

La défense et l'illustration du burkini ont en revanche
trouvé des soutiens de plusieurs sortes. Ce vêtement
hybride, inventé en 2003 par une femme d'affaires
australo-libanaise, dont la marque, qui résulte de la
crase entre « burqa » et « bikini », constitue une surpre-
nante alliance de mots propre à frapper les imagina-
tions et déclencher un réflexe d'achat, a été repris par
diverses chaînes internationales de prêt-à-porter populaire. Ironiquement, une recherche avec ce mot-clé

sur Internet pour lire les articles de presse consacrés aux plages françaises à l'été 2016 fait immédiatement apparaître des liens marchands de l'enseigne britannique C&A, également créatrice d'une ligne de hijabs, qui propose aux internautes trois modèles de burkinis à 65 euros, un prix relativement élevé.

L'affaire du burkini, comme celle du hijab à l'école en 1989, est devenue un enjeu symbolique fort pour ceux qui se font les champions de la lutte contre l'« islamophobie » au nom de la liberté de se vêtir à son gré dans l'espace public. Ceux-ci s'efforcent de conquérir l'hégémonie de la représentation communautaire, en bousculant un CFCM (Conseil français du culte musulman), créé par Nicolas Sarkozy en 2003, peu audible sur ces sujets et en le contraignant à entrer dans une spirale de surenchère. Telle était, à la fin des années 1980 et jusqu'à la loi de mars 2004 prohibant les « signes religieux ostentatoires » dans les établissements scolaires, la stratégie par laquelle l'UOIF (Union des organisations islamiques de France) avait construit alors sa domination sur l'expression publique de l'islam dans l'Hexagone. Elle se faisait la porte-parole des élèves voilées et leur représentante devant les tribunaux, contribuant ainsi à organiser, autour d'un réflexe de défense identitaire, un communautarisme islamique qui n'était auparavant qu'embryonnaire.

Cette instance, dirigée par des Frères musulmans « blédards » immigrés, ayant perdu beaucoup de son influence auprès de la jeunesse musulmane née depuis

la césure des années 2004-2005, ce rôle est repris
aujourd'hui par le CCIF. Ce « Collectif contre l'islamophobie en France », qui fait précéder son intitulé
d'« Association de défense des droits de l'homme », est
une structure effervescente apparue dans la mouvance
d'un Tariq Ramadan, parmi des enfants d'immigrés
rompus à la polémique publique et aux arguties de
la vie politique. Elle dispose de soutiens à l'extrême
gauche, dont elle utilise en partie la terminologie
(« Collectif ») ainsi que la graphie « genrée » lorsqu'elle
défend les « musulman-e-s », par exemple, contre les
discriminations. En retour, un Philippe Poutou, candidat malheureux du Nouveau parti anticapitaliste à
l'élection présidentielle de 2012, tweete, le 19 août,
en un langage hybride où la grammaire gauchiste se
conjugue avec le vocabulaire islamiste et les mots-dièses
du cybermonde : « Stop à l'#islamophobie d'État ! Non
à l'interdiction des #burkinis ! »

Cultivant les relais à l'université et auprès de médias
en ligne et réseaux sociaux constitutifs de la mouvance « islamo-gauchiste », le CCIF a pris l'initiative
de contester avec beaucoup d'entrain et d'entregent
les arrêtés municipaux prohibant le port du burkini.
Son argumentaire a trouvé un écho chez certains élus
socialistes et écologistes, voire de droite, au nom de
la défense de la liberté (et en anticipation de la campagne pour les législatives de 2017 dans les quartiers
populaires), bien au-delà du soutien communautaire
habituel. Il a également fait du CCIF l'interlocuteur
privilégié d'un certain nombre de titres de la presse

étrangère multiculturaliste pour qui la laïcité française représente l'abomination de la désolation. Son directeur exécutif, Marwan Muhammad, a ainsi obtenu le rare honneur de faire la une du *New York Times* le 17 août comme seule voix autorisée des musulmans de France, pour s'y féliciter que le port du burkini permette à « des femmes musulmanes qui n'étaient pas habituées au plaisir de la plage ou de la piscine de s'y adonner : ainsi, aujourd'hui, elles se socialisent ». Le même quotidien publiera, le 2 septembre, une enquête intitulée « Regards "changés" et langues "déliées" : des musulmanes évoquent l'Europe d'aujourd'hui », dans laquelle la France est décrite comme une sorte de goulag où la laïcité tiendrait lieu de stalinisme.

Cette thèse trouve son prolongement académique le plus insigne chez Olivier Roy. Dans un entretien du 21 août 2016 à FranceTVInfo, le professeur à l'Institut européen de Florence réitère d'abord l'argument qui lui est coutumier selon lequel les terroristes ne seraient que des *born again* sans aucune perméabilité au salafisme, mais « qui font un soudain retour au religieux dans une perspective de radicalisation » pour se « révolter contre la société française ». Face à ce phénomène, il voit dans le port du burkini « une pratique de la religion apaisée, qui se fond dans le paysage français », grâce à laquelle on peut « contribuer à l'isolement (des terroristes) et faire en sorte qu'ils ne représentent pas l'avant-garde de l'islam ». En revanche, « la laïcité est devenue une idéologie politique qui sert à exclure la religion vers l'espace privé », peste Olivier Roy, qui ajoute que « cela risque de créer un sentiment de rejet et de dégoût chez les musulmans, qui pourrait se traduire par un repli identitaire ».

MAINMISE SUR L'ISLAM DE FRANCE

Par-delà la trivialité apparente de l'affaire du burkini, qui s'offre aux yeux des journalistes anglophones comme une folie française aux remugles de racisme et de néocolonialisme, l'enjeu n'est autre, comme lors de la guerre d'usure du hijab à l'école entre 1989 et 2004, que la mainmise communautaire sur les musulmans de France. La différence entre les deux situations, que sépare un quart de siècle, soit une génération, réside dans l'irruption du terrorisme djihadiste au cœur de la société, avec deux cent trente-neuf morts entre janvier 2015 et l'été 2016 (auxquels s'ajoutent les sept victimes de Mohamed Merah en 2012), tandis que le GIA, sous les auspices de Khaled Kelkal, abattu en septembre 1995 par la police près de Lyon, n'avait causé que huit décès. De plus, en ces années-là, la violence n'avait pas réussi à mordre significativement sur la jeunesse populaire grâce aux « darons » algériens, ces pères de famille qui exerçaient encore un rôle prééminent de contrôle social. Il en va autrement aujourd'hui, car ces *chibanis*, comme on les surnomme en dialectes maghrébins, ont été relégués par le grand âge. Le milieu des adolescents et des jeunes adultes

est désormais plus perméable à l'idéologie du djihadisme de troisième génération, qui lui confère une
place centrale dans la mise en œuvre d'un projet de
guerre civile.

C'est donc plus que jamais dans ces leaders que
s'incarne l'autorité autrefois exercée par les « darons »
ainsi que la capacité d'interface avec la société française dans son ensemble comme avec ses institutions.
Dans le présent contexte de terrorisme exacerbé, et
du fait de la faiblesse du CFCM, dont la composante
sociodémographique reste âgée et « blédarde », et dont
la fonction, sans même faire l'unanimité, concerne
principalement la gestion du culte, la question de la
médiation se pose avec acuité. Or, dans le cadre de
la République laïque, une communauté religieuse n'a
pas à être représentée comme telle sur le plan politique. Ses membres ont vocation à exercer individuel-
lement leur pleine citoyenneté, y compris par le droit
de vote. Mais pareille pétition de principe, louable
dans le projet collectif à long terme de la nation, n'a
guère d'efficace pour parer dans l'urgence absolue à
la menace, en prévenant l'extension du recrutement
de sympathisants par Daech et ses émules, et en
empêchant le « basculement » escompté par ceux-ci
des masses musulmanes des quartiers populaires sous
leur bannière.

Outre le leadership que tente d'occuper un CCIF
doté d'une cohorte de cautions à l'extrême gauche
et chez certains universitaires et journalistes compagnons de route, deux nouveaux acteurs se sont affir-

més, à l'été 2016, dans cette bataille pour l'hégémonie, chacun à un pôle du spectre : l'un, royal, depuis le Maghreb, l'autre depuis l'Hexagone, en provenance des « élites musulmanes de France ».

INTERVENTION DU ROI DU MAROC

Le 20 août, le roi du Maroc Mohammed VI prononce le discours traditionnel à l'occasion de l'anniversaire de « la révolution du roi et du peuple contre le protectorat français ». Dans ce contexte, qui ravive l'imaginaire anticolonial fondant la légitimité des dirigeants issus de l'indépendance, il s'adresse, pour la première fois, aux « Marocains résidant à l'étranger » (MRE). On estime que deux millions d'entre eux, sur un total de six millions, rentrent au bled chaque année pour les vacances d'été. L'allocution est prononcée une semaine après les incidents de Sisco, où sont impliqués des sujets du royaume. Et de nombreux Marocains, originaires notamment du Rif, souvent résidents de Molenbeek, ont fait partie des terroristes du 13 novembre 2015 à Paris et du 22 mars 2016 à Bruxelles. Enfin, la rumeur circule dans les milieux informés que la neutralisation d'Abdelhamid Abaaoud dans la planque où il était caché à Saint-Denis, le 18 novembre 2015, a été facilitée par un renseignement provenant des services spécialisés du royaume après une visite du monarque à l'Élysée.

Dénonçant « le phénomène extrémiste et terroriste et la tentative de le relier, à tort ou à raison, aux immigrés, surtout en Europe », le monarque chérifien tient des propos extrêmement nets et inédits dans ce contexte :

> *— Les terroristes qui agissent au nom de l'islam ne sont pas des musulmans et n'ont de lien avec l'islam que les alibis dont ils se prévalent pour justifier leurs crimes et leurs insanités. Ce sont des individus égarés condamnés à l'enfer pour toujours. L'ignorance les incite à croire que leurs agissements relèvent du djihad. Mais depuis quand le djihad revient-il à tuer des innocents ?*

Rappelant que l'islam n'admet aucune forme de suicide, le roi, qui porte la titulature de Commandeur des croyants (*Amir al-mou'minîn*), remémore que « l'appel au Djihad est du ressort de la Commanderie des croyants et qu'il ne peut émaner d'aucun individu, ni d'aucun groupe ». La réfutation précise des djihadistes, dont il est mentionné qu'ils menacent également le Maroc, frappé à plusieurs reprises depuis les attentats de Casablanca en 2003, s'effectue à l'appui d'arguments théologiques d'autorité, et près de la moitié du discours y est consacré, y compris une condamnation très ferme de « l'assassinat d'un prêtre », allusion au meurtre du père Hamel, qualifié de *haram* (illicite).

Par ces propos, le souverain se positionne comme un acteur central dans la lutte contre le terrorisme

djihadiste. Il mobilise non seulement le dispositif
politique et policier du royaume, mais engage son
charisme de monarque islamique. Contre les pré-
tentions du « calife » de Mossoul, il réitère que c'est
lui, Mohammed VI, qui incarne la Commanderie des
croyants seule à même de proclamer le djihad. Il est
peu probable qu'il convainque les djihadistes, marocains ou autres, qui ont prêté allégeance à Abu Bakr
al-Baghdadi et sont enrégimentés par Daech. Son discours n'en revêt pas moins une grande importance
pour criminaliser ce « groupe » auprès de la masse de
ses sujets à l'étranger, pour lesquels il demeure un
référent islamique, et ainsi empêcher le basculement
des musulmans marocains d'Europe dans les logiques
de l'affrontement ethno-religieux auquel appelle le djihadisme de troisième génération.

Cette puissante intervention du souverain marocain dans un enjeu européen et principalement français n'est pas sans évoquer la participation de son
père Hassan II à l'émission de télévision « L'heure
de vérité », le 17 décembre 1989, au moment où la
vie politique française était empoisonnée par l'affaire
du hijab porté par trois collégiennes de Creil, dont
deux étaient de père marocain. Le roi avait annoncé
à l'écran qu'il avait agi pour régler le problème, au
soulagement des téléspectateurs de l'Hexagone. Le
fait qu'une médiation politico-religieuse comparable,
mais d'ampleur bien supérieure, se reproduise vingt-
sept ans plus tard est aussi révélateur de l'inexistence
d'une instance proprement française disposant d'une

crédibilité islamique à même de contrer l'attractivité de Daech.

LES « ÉLITES MUSULMANES » AU CRÉNEAU

Pareille vacance a également facilité l'initiative inédite de quarante et une personnalités « françaises et musulmanes », issues pour la plupart de la méritocratie républicaine, de signer, le 31 juillet, un appel à la une du *Journal du dimanche*. Intitulé « Nous, Français et musulmans, sommes prêts à assumer nos responsabilités » et paru à la fin de la semaine où le père Jacques Hamel a été égorgé, il stipule, après avoir esquissé une liste des attentats dont certaines omissions feront polémique :

— *Nous, musulmans, étions silencieux parce que nous avions appris qu'en France la religion est une affaire privée. Nous devons parler maintenant parce que l'islam est devenu une affaire publique. En tant que musulmans, de foi ou de culture, nous sommes concernés par l'impuissance de l'organisation actuelle de l'islam de France qui n'a aucune prise sur les événements.*

Déplorant que celle-ci reste liée à des représentants des pays d'origine alors que « les musulmans de France sont à 75 % français », le texte exprime l'urgence de

« mener enfin la bataille culturelle contre l'islamisme radical auprès des jeunes et des moins jeunes, avec les moyens de production les plus modernes et les techniques de diffusion des idées et des informations les plus efficaces ». Pour ce faire, il en appelle à réactiver la Fondation *pour* l'islam de France, « créée il y a plus de dix ans et qui n'a jamais fonctionné », en lui donnant « la capacité de collecter des ressources ». Les « Français de confession musulmane » signataires de l'appel se déclarent prêts à « la relancer, l'animer, contribuer à son financement » pour « permettre l'organisation de l'islam de France ».

Ce texte important, dont les auteurs les plus connus sont la sénatrice socialiste de Paris Bariza Khiari, qui avait vigoureusement pris position contre le projet de loi sur la déchéance de nationalité après les attentats du 13 novembre, et le banquier Hakim el-Karoui, ancien conseiller du Premier ministre de Jacques Chirac Jean-Pierre Raffarin, se veut traverser tout le spectre politique de la notabilité républicaine. Si aucune des personnalités signataires n'est, pour des raisons évidentes, proche du Front national, on n'en note pas davantage qui soit liée à l'extrême gauche, alors que celle-ci et sa mouvance « islamo-gauchiste » se montrent très empressées auprès de la jeunesse musulmane des quartiers populaires.

Les moyens d'action envisagés pour lutter contre le djihadisme passent par une réorganisation de l'islam de France, à partir du financement d'une structure destinée à distribuer des ressources à cette fin, dont

ces élites se disent prêtes à assumer la responsabilité.
À peine formulée, cette initiative a paru contrariée
par la proposition du gouvernement de nommer Jean-
Pierre Chevènement à la présidence d'une Fondation
de l'islam de France. Même si cette institution n'a pas
les mêmes ambitions et se limite à des objectifs culturels et éducatifs, notamment pour former les futurs
imams officiant en France aux disciplines profanes que
maîtrisent les ministres des autres cultes, les auteurs
de l'appel ont acquis le sentiment que leur offre de service à la nation se voyait rejetée de manière vexatoire,
sinon avec la maladresse consubstantielle à François
Hollande et à son entourage de hauts fonctionnaires
coupés de la société. Plusieurs d'entre eux ont qualifié l'initiative de « retour à l'indigénat », de « miasmes
coloniaux » et autre « bureau des affaires indiennes ».

Par ailleurs, une polémique dommageable a éclaté
dès les lendemains de la parution du texte, contraignant à publier un rectificatif. En effet, dans leur
énumération des victimes du terrorisme djihadiste,
les signataires mentionnent « caricaturistes », « jeunes
écoutant de la musique », « couple de policiers », participants à la fête nationale, « prêtre célébrant la messe »,
mais les victimes juives, pourtant tuées explicitement
comme telles par Merah à l'école Ozar-Hatorah de
Toulouse le 19 mars 2012 et par Coulibaly au supermarché Hyper Cacher de la porte de Vincennes le
9 janvier 2015, ne sont pas évoquées. De plus, comme
s'en indigne le 7 août dans le même *JDD* Philippe Val,
ancien rédacteur en chef de *Charlie Hebdo*, le titre n'est

pas mentionné et les morts et blessés du 7 janvier 2015 sont désignés simplement comme « caricaturistes ». On se souvient que le mot-dièse *#jesuisCharlie* avait fait problème dans certains milieux musulmans incriminant l'hebdomadaire satirique pour avoir « insulté le Prophète » et que le conflit israélo-palestinien demeure un irritant majeur prévenant l'identification de certains aux victimes juives du terrorisme.

La polémique a gêné l'initiative en illustrant la difficulté à imaginer un positionnement qui traite du religieux et du politique sans se réclamer ni de l'un ni de l'autre, et à se situer entre une base communautaire non explicitée et la nation dans son ensemble — ce dont les professionnels et entrepreneurs qui forment la plupart des signataires n'avaient sans doute guère l'expérience. Néanmoins, la prise de conscience et l'engagement résolu des élites issues de l'immigration et « sociologiquement musulmanes » constituent la clé du processus qui permettra de détruire Daech en ruinant son influence.

Or les termes du débat qui s'ouvre en France au cours de l'été meurtrier de 2016 sont otages d'enjeux identitaires et communautaires d'un côté, politiciens de l'autre, qui empêchent l'émergence d'une réflexion et d'un engagement dépassionnés, construits sur la connaissance et l'analyse des faits, et non sur des représentations fantasmatiques au gré des thèmes qui deviennent viraux sur la Toile et les réseaux sociaux, jour après jour.

LE PAROXYSME
DE TREMBLAY-EN-FRANCE

C'est dans ce contexte qu'intervient l'ordonnance du Conseil d'État, saisi en référé par la Ligue des droits de l'homme et le CCIF, contre la décision du tribunal administratif de Nice validant l'arrêté municipal de Villeneuve-Loubet visant à prohiber « le port de tenues regardées comme manifestant de manière ostensible une appartenance religieuse lors de la baignade et sur les plages » au motif d'un trouble potentiel à l'ordre public. En suspendant celui-ci, la haute juridiction juge que, « en l'absence de tels risques, l'émotion et les inquiétudes résultant des attentats terroristes, et notamment de celui commis à Nice le 14 Juillet dernier, ne sauraient suffire à justifier légalement la mesure d'interdiction contestée ».

Si le Conseil considère qu'en l'occurrence le maire de la commune a outrepassé ses pouvoirs de police en portant atteinte à la liberté fondamentale d'aller et venir, il ne se prononce pas au fond sur la trentaine d'autres arrêtés municipaux comparables, que les édiles concernés ont pour la plupart continué d'appliquer. Et le Premier ministre, président *de jure* du Conseil d'État, n'en a pas pour autant renoncé à fustiger le port du burkini, identifié par lui à un asservissement de la femme. En s'en tenant à un jugement d'espèce ne faisant pas jurisprudence, le tribunal a ouvert la voie à une multiplication des procédures, que la fin de la saison balnéaire éteindra toutefois rapidement faute de baigneuses...

La situation politique initiée par cette ordonnance rappelle celle qu'avait créée, en 1989, l'avis de cette même juridiction au sujet du port des signes religieux dans les écoles, collèges et lycées financés par l'impôt, après l'affaire dite du voile à Creil. En renvoyant au chef d'établissement la nécessité de motiver juridiquement le trouble à l'ordre public, cette décision avait inauguré quinze années de chicane devant les tribunaux administratifs, traduites par une vive tension dans l'école. L'UOIF, principal vecteur de cette bataille d'usure dans les prétoires, a gagné à cette occasion la lumière médiatique et l'hégémonie sur l'islam de France. Un terme n'y avait été mis qu'avec la loi de mars 2004 prohibant le port de signes religieux ostentatoires. Si le contexte a changé au cours de la décennie 2010, et si le débat est descendu de l'école à la plage, la décision du Conseil d'État favorise pareillement une multiplication des procédures dont le CCIF se fera le champion. Il pourra ainsi instaurer sa vision de la lutte contre l'islamophobie en rempart victimaire des musulmans de France.

Deux jours à peine après la publication de l'ordonnance, un nouvel incident lié au port du voile conforte la stratégie de ce « collectif », tandis que chaque vidéo devenant virale sur les réseaux sociaux contraint les acteurs politiques de tous bords à prendre immédiatement position.

La scène se passe dans une commune de l'extrême nord-est du département de la Seine-Saint-Denis, Tremblay-en-France. Dans un restaurant gastronomique onéreux, deux clientes voilées ont une altercation avec le restaurateur, qui se traduit par le refus de celui-ci de les servir. L'une d'elles filme l'incident sur son téléphone portable. La vidéo est aussitôt diffusée et devient virale, sans qu'elle permette de connaître l'origine de la dispute. On y entend les deux femmes, qui s'expriment dans un français châtié, s'attirer une réplique du restaurateur selon lequel « un "raciste" comme [lui] ne tue pas les gens » et « tous les musulmans sont terroristes ». Les clientes préviennent la police. L'intéressé, qui présente le lendemain des excuses et dialogue dans un contexte tendu avec des jeunes de la commune, alléguant qu'un de ses amis a été tué lors des attentats du 13 novembre au Bataclan, est évacué par les forces de l'ordre et l'établissement fermé, tandis que des dizaines de milliers d'internautes le conspuent sur les réseaux sociaux et piratent son site.

L'ensemble de la classe politique dénonce ses propos comme « inexcusables ». Le CCIF s'empare de l'affaire en publiant le témoignage détaillé des clientes, qui font état du refus de les servir, et construit sa version des faits dans un communiqué :

> — *Une fois de plus, des femmes musulmanes ont été la cible d'une humiliation publique.*
> *Après les chasses aux femmes voilées sur les plages et les polémiques destructrices autour du « burkini », ce*

sont deux femmes portant un foulard qui ont été prises à partie dans un restaurant de Tremblay. [...]

Après les avoir humiliées devant tous les clients du restaurant, les avoir menacées de les empoisonner, le propriétaire a cherché à les renvoyer à coup de déclarations islamophobes.

La vidéo publiée par les deux victimes a suscité l'émoi, l'indignation et la tristesse chez des milliers de nos concitoyens.

Elles se sont rapprochées du CCIF qui leur apporte, depuis hier, soutien et assistance, sur le plan psychologique comme juridique. Les victimes seront accompagnées dans l'ensemble des démarches à mener. [...]

Une équipe du CCIF a été dépêchée hier à Tremblay pour répondre aux questions des habitants, travailler avec les associations de la ville et expliquer les démarches entreprises. Le directeur de l'association est intervenu auprès des fidèles de la mosquée, réunis en nombre, avec le même message de sérénité et de détermination, aux côtés des victimes.

Après avoir salué l'action du maire communiste, le communiqué poursuit :

— Le parquet de Bobigny s'est saisi du dossier et a ouvert une enquête pour discrimination à caractère racial. Les victimes, accompagnées du CCIF, ont déposé plainte ce matin. Elles font l'objet d'un suivi et leur témoignage sera partagé dès ce soir, sur les pages et sur le site du CCIF.

Dans cette affaire, le CCIF se portera partie civile aux côtés des victimes et demandera des sanctions exemplaires

*afin de rompre avec l'impunité des violences et discrimi-
nations islamophobes.*

Enfin, le communiqué dénonce trois niveaux de
responsabilité : celle du restaurateur, celle des clients
indifférents et, surtout, « celle du gouvernement et
de la classe politique qui, par leurs déclarations cli-
vantes et stigmatisantes pour les musulman-e-s, les
ont désigné-e-s pour cibles, créant les conditions de
la survenue d'actes comme celui-ci ».

Le scandale public a été provoqué par le refus de
vente imputé à l'« islamophobie » du restaurateur. Pour
les plaignants, cela doit faire jurisprudence en assimi-
lant son attitude au délit de discrimination raciale. Il
révèle, en un instantané, la fracture à l'œuvre dans la
société française ; il illustre les objectifs de celles et
ceux qui la creusent pour promouvoir leurs intérêts
particuliers, communautaires ou identitaires ; il expose
les déchirures du tissu social, religieux et politique
qu'elle exploite.

Tremblay-en-France, à l'instar de Saint-Étienne-du-
Rouvray, est une des dernières municipalités commu-
nistes de France. Contrôlée par le PCF depuis 1935,
elle a pour maire depuis un quart de siècle et pour
député depuis trente-cinq ans François Asensi, septuagénaire né à Santander, dans l'Espagne franquiste.
Membre du courant « refondateur », il prend ses distances avec l'appareil tandis que la banlieue rouge
devient de plus en plus « verte », au double sens écologique et islamique, au cours de la décennie écoulée.

S'il quitte le parti en 2010, il en conserve les *habitus*
et mentalité, tout en construisant les alliances et les
clientèles qui lui procurent des réélections de maré-
chal dès le premier tour. Le Front national a toutefois
effectué une percée spectaculaire après les attentats
djihadistes du 13 novembre 2015, arrivant en tête lors
des régionales de décembre avec près de 30 % des
suffrages, fragilisant son pouvoir.

Tremblay est une commune que la géographie et
l'histoire ont triplement clivée, l'inscrivant au point
paroxystique de la fracture que connaît aujourd'hui la
France. Au sud de son territoire, le canal de l'Ourcq
aux berges bucoliques, franchissable sur un pont
unique, isole une zone exclusivement pavillonnaire. Au
centre, des lotissements des années 1930, dont l'un
porte le nom suggestif de « Cottages », voisinent avec la
« cité du Grand-Ensemble » et ses trois mille cinq cents
logements, édifiée dans les années 1960-1970. Celle-ci
a été touchée de manière récurrente par les émeutes de
la dernière décennie : en pointe à l'automne 2005, par
solidarité avec les incidents nés dans la proche agglomération de Clichy-Montfermeil après le « gazage de
la mosquée Bilal », elle a connu de nouvelles flambées
de violence spectaculaires en 2009 et 2010.

C'est ici que, pour la première fois en France, des
mortiers d'artifice ont été utilisés en tir tendu comme
armes insurrectionnelles contre les forces de l'ordre,
contraintes de se replier, et déclenchant la mise à feu
accidentelle d'un appartement. La vidéo nocturne
des affrontements diffusée sur la Toile, évocatrice

d'une guerre civile à caractère ethno-religieux, ponctuée de « Ici c'est Bagdad ! » et de l'apparition d'un individu barbu hilare en djellaba, calotte vissée sur le crâne, est intitulée par les sites identitaires sur You-Tube : « Émeutes à Tremblay-(si peu)-en-France ». En mars 2010, la saisie record d'un million d'euros lors du démantèlement d'un réseau de trafic de cannabis se traduit par de nouvelles émeutes et l'incendie d'un autobus, tandis que le maire dénonce « la stigmatisation de la ville » par les médias.

Le mois suivant est inaugurée, au cœur de la « cité du Grand-Ensemble », la mosquée de Tremblay. « À deux pas du centre-ville, la nouvelle mosquée de Tremblay-en-France (Seine-Saint-Denis) trône fièrement au bord d'une départementale. Revêtu de granit venu de Chine, le bâtiment a du cachet », note le journal islamique en ligne *Salamnews*. Orientée vers La Mecque, s'inscrivant dans une diagonale par rapport à l'urbanisme en damiers, enserrée entre la rue Lénine et le groupe scolaire Langevin-Rosenberg, évocateurs des vestiges de la puissance communiste d'antan, elle est adossée à l'allée Bullant, où les incidents les plus violents ont eu lieu. Elle deviendra le nouveau pivot de la cité, et la vieille municipalité rouge maintiendra bon an mal an l'ordre social par sa médiation, tandis que l'État lancera un énorme chantier de rénovation urbaine, détruisant les sept tours les plus problématiques et les remplaçant par des immeubles paysagers, au milieu des bois de charmes et de trembles qui donnent son nom à Tremblay.

La voie express la Francilienne délimite, au nord de
la commune, un troisième espace, vaste plaine de cinq
cents hectares plantée de céréales et de betteraves où
est sis le hameau du Vieux-Pays. Son église Renais-
sance Saint-Médard, ses corps de ferme dont la haute
grange à charpente de chêne fut élevée par l'abbé Suger
pour y stocker les dîmes en grains bordent la place
du Colonel-Henri-Rol-Tanguy, « membre des Brigades
internationales, chef des FFI et ouvrier membre du
PCF ». Les taxis de la Marne y furent harangués avant
la bataille par le général Gallieni, et la statue redorée
d'un poilu brandissant une couronne de chêne surdi-
mensionnée exalte les victoires d'antan. De nombreux
vestiges, dont certains remontant au XIIIe siècle sont
protégés par les Bâtiments de France, confèrent une
touche médiévale inattendue au modeste bourg.

Ce pittoresque celé a attiré des restaurants haut de
gamme, où se retrouve une clientèle de cadres travaillant à l'aéroport Charles-de-Gaulle, dont l'emprise qui
débute à un kilomètre au nord mord largement sur la
commune et en abonde généreusement le budget. Y
sont implantés le siège d'Air France, la zone de fret et
quantité d'entreprises, sous un ciel strié par les avions
qui décollent et atterrissent sans relâche. En symé-
trique, à un kilomètre au sud à vol d'oiseau, s'élève
la maison d'arrêt de Villepinte. Plusieurs dizaines
de mis en examen ou condamnés pour activités djihadistes, parfois de retour du « califat », y sont incarcérés. Les fenêtres d'une partie des cellules donnent,
au-delà du Vieux-Pays, sur les pistes d'où partent les

vols pour Istanbul, Sublime Porte contemporaine du *Shâm* et de son champ de bataille, où se projettent les émeutiers qui, à coups de mortiers d'artifice, voulaient transformer, à l'été de 2009, Tremblay en Bagdad.

C'est à l'épicentre de ce maelström français qu'est situé le restaurant « Le Cénacle ». De l'extérieur, il ne paie guère de mine, mais il est élogieusement recommandé par les guides gastronomiques, notamment pour ses fruits de mer, la chaleur de l'accueil du chef et patron... et sa carte des vins ! Et, de fait, dès le lendemain matin, l'internaute « Sedat Bulut » poste sur le mur Facebook de la mosquée de Tremblay la question suivante : « *Esselemou aleykoum* sert-il du vin dans ce restaurant ? » ; à quoi le modérateur du site répond : « Quel est le rapport ? » ; tandis qu'une « Myriam LJ » renchérit, dans une graphie islamo-gauchiste typique : « Question sans intérêt. Les musulman.e.s vont où ils/elles le souhaitent sans avoir à subir de discriminations. » « Sedat Bulut » rétorque : « Elle a un intérêt pour moi, car je ne comprends pas pourquoi les musulmans vont dans ce genre de restaurant là où l'on trouve de l'alcool. Y a pas assez de restaurants musulmans en banlieue parisienne ? » D'autres contributeurs l'accusent alors de faire le jeu de Daech ou de l'islamophobie. En tout cas, au zinc du bar-tabac du Vieux-Pays, précurseur antédiluvien du *chat* sur Facebook, retour de la pêche au gardon dans l'étang municipal du Château-Bleu, atmosphère évocatrice du *Grand Meaulnes*, l'affaire est entendue, le restaurateur s'est fait piéger : « Qu'est-ce qu'elles venaient faire, à venir jusqu'ici ? Y en a une d'Argenteuil et l'autre de Trappes[1]... »

« ISLAMOPHOBIE » ET FORCLUSION
DU TERRORISME

Dès la matinée du dimanche 28 août, la stratégie du CCIF s'est déployée. Alors que la fin de la saison balnéaire va mettre un terme, faute de « combattant.e.s », à la bataille du burkini sur les plages, cette nouvelle variation sur le thème de l'« islamophobie » se joue à partir des réseaux sociaux qui relaient l'indignation des internautes, puis trouve une caisse de résonance sur les chaînes d'information en continu qui s'alimentent du scandale et le prennent dans la spirale de la surenchère concurrentielle. Toutes convieront l'omniprésent Marwan Muhammad, directeur exécutif du CCIF. Il traduit l'affaire en cause morale universelle, tance vertement la classe politique, pose son association et lui-même en recours des musulmans de France contre la discrimination et en porte-parole communautaire par excellence, avant de préciser les consignes du vote musulman aux élections présidentielle et législatives de 2017.

Parallèlement au blitz médiatique, qui exacerbe

1. Les enquêteurs de police, après avoir envisagé la piste d'un « testing », semblent l'avoir abandonnée.

les sentiments et passions et mobilise les soutiens en orientant vers l'adhésion au CCIF l'indignation générale, son flamboyant patron prend durant l'après-midi du dimanche 28 août, heure creuse de l'audimat, ses quartiers à la mosquée de Tremblay. Il y entérine le rôle cardinal de celle-ci pour le maintien de l'ordre social dans cette ville explosive de Seine-Saint-Denis. Il y harangue la foule des fidèles, les appelle au calme, leur demande d'éviter toute manifestation devant le restaurant incriminé et explicite pour la première fois avec pareille clarté la stratégie à moyen et long termes de son collectif.

Venu au monde en 1978, Marwan Muhammad est de père égyptien, comme Tariq Ramadan, dont il incarne l'avatar pour la jeune génération. Le prédicateur né à Genève et de seize ans son aîné cultive son pouvoir de séduction grâce à sa formation philosophique et littéraire et tente aujourd'hui d'obtenir la nationalité française afin d'entrer en politique (voir p. 172). Son cadet, français par sa naissance à Barbès, citadelle symbolique de la colonie arabo-musulmane dans la capitale, grandit à Gennevilliers, commune communiste des Hauts-de-Seine, au rythme de voyages vers l'Alexandrie paternelle et l'Algérie maternelle. Il mêle le mordant d'un enfant des quartiers populaires à un charisme de rupture qu'il déploie à la télévision et dans les meetings. Diplômé du pôle universitaire Léonard-de-Vinci, un campus élitiste, et dispendieux pour le département des Hauts-de-Seine, surnommé la « fac Pasqua », Marwan Muhammad devient par la suite tra-

der dans une grande banque française durant cinq ans.
Il dresse un bilan en demi-teinte de cette expérience
dans une autobiographie en forme de repentir, *Foul
Express* (le « foul » est le plat national égyptien à base
de fèves bouillies), parue en 2009. Dans un style haché
inspiré du rap, dont l'auteur était nourri pendant son
adolescence, ce livre très critique envers la société
française, Israël, le capitalisme et la relation Nord-Sud
compose un pot-pourri des thèses islamo-gauchistes
qu'il met en œuvre l'année suivant sa publication en
devenant le porte-parole du CCIF.

En quelques années, Marwan Muhammad va faire
du collectif, qui n'était jusqu'alors qu'un groupuscule,
le principal vecteur de cette mouvance et l'installer
en position de compétiteur majeur pour l'hégémonie
sur l'islam de France. Remarqué par les réseaux islamiques transnationaux, celui qui s'affiche aux côtés de
Tariq Ramadan, mais aussi des prédicateurs salafistes
Nader Abu Anass, participant au « Salon de la femme
musulmane » de Pontoise en septembre 2015, inter-
rompu par deux Femen rouées de coups, et Rachid
Abu Houdeyfa, imam à Brest, l'un et l'autre notoires
pour leurs propos très restrictifs sur la condition des
femmes, est recruté à l'OSCE (Organisation pour la
sécurité et la coopération en Europe) de 2014 à 2016.
Dans cette instance où la Turquie de Recep Tayyip
Erdoğan joue un rôle actif, il est chargé de la lutte
contre l'islamophobie dans les pays membres, rédige
de nombreux rapports et acquiert une visibilité internationale. Il la quitte en 2016 pour revenir au CCIF

comme directeur exécutif. Doté désormais d'un fort capital symbolique, il met ses talents stratégiques de trader au service du collectif et lance coup sur coup les deux *takeovers* sur les affaires du burkini et de Tremblay.

Grâce aux relais construits outre-Manche, *via* l'OSCE, il a tôt fait de devenir la coqueluche de la presse anglophone, et la France y passe en quelques jours du statut de victime de l'attentat de Nice à celui de bourreau des femmes musulmanes. Ce renversement a lieu sur les plages mêmes de la cité, sapant toute la sympathie gagnée depuis le massacre de *Charlie Hebdo* jusqu'à celui du 14 Juillet. Certaines plumes, dans le *New York Times* notamment, laissent entendre que si la France est tant touchée par le terrorisme djihadiste, c'est à cause de son laïcisme extrême et qu'elle l'a sans nul doute bien cherché…

Dans l'Hexagone, la campagne du CCIF trouve un puissant écho auprès de nombreux jeunes musulmans qui ressentent un certain malaise après des tueries dont les auteurs se revendiquent de l'islam, et s'offusquent de devoir sans cesse se disculper et condamner, au risque, sans cela, de faire l'objet du soupçon du reste de la société. La cristallisation sur la lutte contre l'islamophobie autour du modeste enjeu que représente le burkini au regard des deux cent trente-neuf morts en une année et demie permet de sortir de ce dilemme et de retourner l'accusation contre la France « islamophobe », occultant ainsi le djihadisme et en renversant le stigmate. Elle a un effet de forclusion, au sens que la psychanalyse lacanienne confère à ce terme : le déni du traumatisme originel, perçu comme n'ayant jamais existé. Cela permet de reprendre l'initiative par l'offensive, et le CCIF y remporte prestige et notoriété. Son directeur se félicitera, le 28 août, dans son discours de la mosquée de Tremblay, d'avoir engrangé dix mille adhésions pendant le seul été, contre moins de trois mille auparavant, et un afflux de dons.

Parvenu en milieu d'après-midi sur les lieux, Marwan Muhammad y est élogieusement introduit par le président de l'association culturelle. Celui-ci, né en 1966 dans le port de pêche algérien de Beni Saf, où virent aussi le jour le poète Jean Sénac et Bernard-Henri Lévy, arrive en France en 1990, pendant que le FIS (Front islamique du salut) prend son essor en Algérie, pour y poursuivre des études de droit. Il crée en 1996 la « Jeunesse musulmane de Tremblay-en-France ». Ancien président de l'Association des locataires, fonction relais clé dans une municipalité communiste, et responsable de la gare routière, ce notable vert fédère le monde islamique local sous sa houlette, jusqu'à faire sortir de terre la mosquée en 2010. Avant de passer la parole au leader du CCIF, le quinquagénaire se félicite, comme le fera ensuite Marwan Muhammad, du communiqué du maire. L'édile rouge septuagénaire va déposer une plainte en justice suite à l'affaire du restaurant, estimant que celle-ci procède de « la polémique nauséabonde du burkini manipulée à des fins politiciennes par des personnages ayant occupé ou occupant encore les plus hautes fonctions de l'État ».

Marwan Muhammad prend alors le micro devant le *mihrab*, la niche de la mosquée qui indique la direction de La Mecque et de la prière. Durant sa longue intervention, elle nimbe son crâne au front marqué de la *zbiba*, ce cal causé par les prosternations, qu'affichent les musulmans pieux. Derrière son chef s'inscrit en lettres d'or une calligraphie au nom d'Allah et de Son Prophète. Au contraire du quinquagénaire Tariq Ramadan, au vêtement toujours très soigné, son avatar trentenaire affecte une mise décontractée, à mi-chemin entre la tenue *casual* de week-end des cadres supérieurs et celle des jeunes des quartiers populaires. Là où l'aîné séduit par l'expressivité du regard, le cadet joue abondamment des mains pour souligner son propos — l'ingénieur stastiticien a supplanté le professeur de philosophie. L'interpénétration entre religion et politique que manifeste la scène est relevée par certains internautes sur le mur Facebook de la mosquée, qui rappellent qu'en droit français un lieu de culte, régi par la loi de 1905, ne doit pas abriter de réunions politiques comme le stipule son article 26.

Détaillant au public le rôle mobilisateur essentiel joué par le CCIF, dont il retrace les interventions depuis le matin en un tableau minuté, l'orateur exige des « sanctions exemplaires » contre tous ceux « qui feraient des musulmans des étrangers dans leur propre pays », tout en se servant d'eux « comme d'un paillasson électoral », et accuse politiciens et journalistes de « nous faire basculer dans une guerre civile avec les gens avec qui nous avons grandi ». Estimant que « des millions de

citoyens français sont conscients du problème et nous
soutiennent » et que Marine Le Pen, Nicolas Sarkozy
et Manuel Valls « peuvent avoir peur des mobilisations
politiques et sociétales que nous sommes en train de
construire », il inscrit le combat contre l'islamophobie dans le cadre des luttes sociales en général, car
ce sont « les mêmes larmes sur les joues d'une jeune
fille musulmane que sur celles d'un producteur de lait
qui a été offensé » (l'actualité est alors marquée par le
conflit qui oppose les producteurs laitiers à leur centrale d'achat).

Exaltant la puissance du collectif qu'il dirige, il le
définit comme « l'association antiraciste la plus grande,
forte et étoffée d'Europe, capable d'influencer le jeu,
d'intervenir dans les médias, d'obtenir des victoires
juridiques significatives ». De fait, deux jours plus tôt,
il s'est fait filmer en costume sombre devant le Conseil
d'État par les chaînes d'information en continu, triom-
phant après l'ordonnance rendue à la requête du
CCIF suspendant l'arrêté « antiburkini » de la mairie
de Villeneuve-Loubet.

À la suite de cette victoire, quelles actions mener ?
« La France dans deux, cinq, dix, vingt ans, à quoi
on voudrait qu'elle ressemble ? [...] On n'a pas envie
qu'elle "devienne musulmane", mais qu'elle rede-
vienne fidèle à ses valeurs. » Pareille concession rhétorique dans un discours très relayé (le compteur affiche
plusieurs dizaines de milliers de vues) corrige un propos attribué à l'auteur en 2011, repris dans l'ouvrage
d'une journaliste, et tournant sur les réseaux sociaux,

mais que ce dernier a démenti : « Qui a le droit de dire
que la France dans trente ou quarante ans ne sera pas
un pays musulman ? Qui a le droit ? Personne dans ce
pays n'a le droit de nous enlever ça. Personne n'a le
droit de nous dénier cet espoir. »

Après avoir rappelé à son auditoire la proximité
des échéances électorales, l'orateur martèle que « les
musulmans ne sont sous la tutelle de personne »,
qu'ils n'ont besoin de nul avis pour savoir « comment
s'habiller ou comment s'organiser », mais doivent être
« capables de se mobiliser politiquement [...] autour
de grands sujets éthiques qui leur tiennent particulièrement à cœur ». Répondant à la question d'un fidèle
qui lui demande des précisions, Marwan Muhammad
lui explique qu'il existe « des villes ou circonscriptions
législatives où les musulmans peuvent jouer un rôle
fondamental, par exemple dans le basculement d'une
alternative entre un parti ou un candidat explicitement
islamophobe, et le candidat qui serait alternatif mais
raisonnable ».

Les prises de position de certains candidats potentiels aux élections législatives de 2017 dans les circonscriptions populaires, y compris de membres du
gouvernement, à l'occasion de la polémique sur le burkini du mois d'août 2016 semblaient déjà avoir anticipé
ce message. En attendant, le CCIF faisait tourner sur
Internet une pétition pour que son directeur exécutif
préside la Fondation de l'islam de France...

« OÙ SONT LES HOMMES ? »

Le 4 septembre 2016, une semaine jour pour jour après le *blitz* du CCIF et de son médiatique président Marwan Muhammad à la mosquée de Tremblay-en-France pour vitupérer l'« islamophobie » et inciter à sanctionner celle-ci dans les urnes par un « vote musulman », une nouvelle affaire de femme voilée dans cette même commune de Seine-Saint-Denis va défrayer la chronique nationale. Elle rappelle la résilience du terrorisme djihadiste à ceux qui font profession de l'occulter.

Aux petites heures de ce dimanche, Inès Madani, dix-neuf ans, née dans cette ville et y résidant avec ses parents dans une zone pavillonnaire, inscrite au fichier « S » pour ses velléités de départ en Syrie, a abandonné une Peugeot 607 rue de la Bûcherie, dans le Ve arrondissement de Paris, un quartier animé jusque tard dans la nuit, à quelques pas de Notre-Dame et de la Préfecture de police. Le véhicule a été « emprunté » la veille à son père, chauffeur d'autobus connu pour son appartenance ancienne à la mouvance salafiste, et dont trois des cinq filles portent le voile, mais qui sera rapidement mis hors de cause dans cette affaire — d'autant qu'il a signalé à la police la disparition de son véhicule et de sa fille, dont il redoute qu'elle n'ait pris la route de la Syrie. La Peugeot contient des bonbonnes de gaz et une couverture imbibée d'hydrocarbures, dont l'inflammation aurait dû déclencher une énorme explosion et un nouveau carnage en plein cœur de Paris.

Le mode opératoire correspond exactement à l'une des « idées » mentionnées dans le *Guide pour lion solitaire qui souhaite faire une attaque de masse* publié par la chaîne privée de Rachid Kassim sur Telegram en même temps que la liste des cibles analysée ci-dessus. Elle est sous-titrée : « Appliquer le talion suite à la politique étrangère de l'État français contre le califat ». La troisième « idée » est la suivante : « Remplir véhicule de bouteilles de gaz ; les asperger d'essence et se garer dans un endroit fréquenté… BOOM ! » Mais la jeune femme et sa complice, une convertie de vingt-neuf ans, n'ont pas été capables de déclencher la mise à feu, ont pris peur, se seraient querellées et ont pris la fuite.

Cet attentat raté du fait de l'amateurisme de ses auteures rappelle ceux que voulurent commettre sans succès les apprentis djihadistes de 2015, l'étudiant Sid Ahmed Ghlam, qui s'était tiré dans le pied le 19 avril, et le mitrailleur enrayé du Thalys, Ayoub el-Khazzani, maîtrisé par des passagers le 21 août. Il s'inscrit dans la logique du djihadisme de troisième génération, qui confie à des exécutants peu ou pas aguerris la mise en œuvre, voire la conception des opérations. Mais, contrairement aux « succès » remportés à Magnanville par Larossi Abballa le 13 juin 2016, à Nice par Mohamed Lahouaiej-Bouhlel le 14 Juillet et à Saint-Étienne-du-Rouvray par Adel Kermiche et Abdel-Malik Petitjean le 26, c'est un échec spectaculaire. Il permet

de démanteler le premier commando islamo-terroriste
féminin, pris la main dans le sac. Il contribue en outre
significativement à faire la lumière sur le réseau qui
relie, par le biais de la sexualité salafiste sur Internet,
Magnanville et Tremblay, et jusqu'au territoire du
« califat » de Daech, à travers la messagerie Telegram
et les sites de télévision privée des djihadistes français,
au premier rang desquels Rachid Kassim, « L'Oranais-
Roannais » de Ninive, très présent dans cette affaire.

Trois des quatre interpellées faisaient partie des
trois cent trente abonnés à sa chaîne Telegram, selon
L'Express.fr (12 septembre 2016), et celui-ci est soupçonné par les enquêteurs d'avoir mis en contact les
deux perpétratrices de l'attentat, habitant à cent
kilomètres de distance, comme il l'aurait fait pour
Kermiche et Petitjean. Cela éclaire enfin d'un jour
nouveau la dimension féminine du djihad de troisième
génération, dans un contexte global où les acteurs de
la lutte contre l'« islamophobie » présentent exclusivement les musulmanes portant le hijab comme les
victimes passives de la discrimination laïciste d'une
France exécrée.

Après avoir abandonné le véhicule piégé, les deux
femmes se séparent. La convertie de vingt-neuf ans
réside à Châlette-sur-Loing, dans le Loiret, municipalité communiste et ville industrielle ancienne qui
accueillit comme ouvrier au début des années 1920
Deng Xiaoping, futur maître de la Chine, et dont, au
tournant du XXIe siècle, plus de la moitié des moins
de dix-huit ans sont d'origine immigrée, principale-

ment maghrébine, sahélienne et turque. Elle y retrouve son époux selon la charia et leurs trois enfants, et la famille sera arrêtée sur une aire d'autoroute à Orange, en fuite vers le Midi. La jeune femme répond au prénom d'Ornella, rare en France (il ne s'y compte que 5 170 occurrences en 2016) et mis à la mode à la fin des années 1980 par l'actrice italienne Ornella Muti, alors sex-symbol universel. Elle connaîtrait Hayat Boumedienne, conjointe d'Amedy Coulibaly, le tueur de l'Hyper Cacher, partie au « califat » le 5 janvier 2015.

Sa complice présumée Inès se réfugie quant à elle dans l'Essonne, à Boussy-Saint-Antoine, municipalité périurbaine socialiste dotée d'une gare RER, où réside, dans une cité HLM, Amel Sakaou, une mère de quatre enfants âgée de trente-neuf ans, connue pour avoir revêtu une tenue islamique intégrale depuis l'année précédente et avoir quitté en conséquence son travail. Elles y retrouvent Sarah Hervouët, Normande de vingt-trois ans née à Lisieux, la ville de sainte Thérèse de l'Enfant Jésus, où se déroule le deuxième pèlerinage catholique français après Lourdes, et à qui sa famille a adjoint Thérèse comme nom de baptême. Celle-ci s'est convertie durant son adolescence. Vivant avec sa mère à Cogolin, dans le Var, elle a été interceptée en Turquie en mars 2015 sur la route du « califat » et renvoyée en France. Inscrite au fichier S, elle n'a toutefois pas été incarcérée.

C'est le cas de la plupart des femmes, contrairement à la norme appliquée aux hommes. Ainsi de Bilal Taghi, condamné à cinq ans de prison pour des faits semblables et qui poignarde, ce même 4 septembre où l'on retrouve le véhicule piégé, un surveillant à la maison d'arrêt d'Osny. Il a agi en réponse à l'appel à assassiner les personnels pénitentiaires lancé par Larossi Abballa dans sa vidéo diffusée après le double meurtre de Magnanville le 13 juin, et en accord avec l'infographie mise en ligne en août par Rachid Kassim. Sarah Hervouët avait du reste été promise en mariage *halal* par Internet à Abballa (dont le prénom Larossi signifie en arabe « le marié »), sans que les deux fiancés numériques se soient jamais rencontrés ni aient échangé la moindre photo, conformément à la norme salafiste qui favorise les unions arrangées par le groupe des pairs, interdit tout contact avant l'acte chariatique de l'hyménée et prohibe la représentation humaine. Après le décès d'Abballa, elle fera partie des trois « sœurs », dont deux mineures normandes, proposées en ligne à Adel Kermiche, qui les épouse virtuellement avant de les répudier le lendemain matin. En septembre, elle doit convoler avec un troisième djihadiste, aboutissement terrestre ultime du ravissement salafiste de cette Thérèse convertie, contrarié finalement par l'aspiration au martyre trouvée dans son testament, voie royale du mariage mystique à contracter au paradis.

Pendant trois jours, cachées dans l'appartement de Boussy où elles sont repérées grâce à l'interception de communications téléphoniques, les trois femmes prépareraient des projets d'attentats contre des gares situées sur la ligne D du RER, qui relie Boussy à Paris. Les gares figurent également parmi les « lieux pour attaques de masse » ciblés dans la liste de « L'Oranais-Roannais ». La déclaration d'allégeance d'Inès Madani au « calife » de Daech Abu Bakr al-Baghdadi sera retrouvée dans son sac à main assortie du commentaire : « Répondant à l'appel d'Al-Adnani [le porte-parole et "ministre des attentats" de l'État islamique, tué par un drone américain entre le 28 et le 30 août], je vous attaque dans vos terres afin de marquer vos esprits et de vous terroriser. »

Au soir du 8 septembre, les conjurées quittent leur appartement et repèrent des agents en planque. Sarah Hervouët, vêtue d'un *jilbeb* noir qui la couvre entièrement, se jette sur un des fonctionnaires et le poignarde avec un couteau qu'elle sort de sous cette tenue islamique surnommée « Belphégor » dans les quartiers populaires. Inès Madani, qui tente d'en faire autant, est blessée par un fonctionnaire.

Le lendemain, Rachid Kassim entérine ces actions depuis le « califat » (cité dans *Le Monde* des 11-12 septembre 2016) :

> — *Des femmes, des sœurs, passent à l'attaque. Où sont les frères ? [...] Elle a brandi une lame et elle a frappé un policier, comme des mères en Palestine. Où sont les hommes ? [...] Pourquoi attendez-vous autant, au point que des femmes vous ont dépassés dans l'honneur !*

« DÉPASSÉS DANS L'HONNEUR »

La découverte, l'arrestation et la mise hors d'état de nuire du commando féminin viennent en épilogue — provisoire — des attentats de 2016. Prenant la suite des affaires estivales médiatisées du burkini et du voile à Tremblay-en-France montées en épingle par le CCIF pour ravir l'hégémonie sur l'islam de France elles constituent une sorte de spéculum ouvrant sur les profondeurs celées du djihad français contemporain. S'y imbriquent les causes religieuses, sociales et psychiques du phénomène, pour accoucher par la violence d'un projet politique.

L'objectif de celui-ci, on l'a noté à plusieurs reprises, consiste à fracturer la société française — et, par-delà, celles de toute l'Europe — pour y favoriser, par des provocations meurtrières itératives, la fragmentation entre des enclaves communautaires islamiques d'un côté, identitaires nationalistes de l'autre, prodromes de la guerre civile qui détruira la mécréance et permettra d'édifier le califat sur les ruines du Vieux Continent, maillon faible de l'Occident. Cette thématique, présente dans les écrits fondateurs du djihadisme de troisième génération depuis 2005, est réaffirmée dans les mots d'un Rachid Kassim lorsqu'il fait l'éloge de la « sœur » qui a « sorti une lame et frappé un policier, comme les mères de Palestine ». L'adéquation des musulmans de France aux Palestiniens constitue *ipso facto* la société française en société israélienne — même si, comme on l'a vu, Daech en Syrie n'hésite pas à se coller à la frontière israélienne pour s'abriter, grâce à la DCA de l'État hébreu, des bombardements de l'aviation d'Assad (voir p. 184). Kassim invoque ici un conflit ontologique, qui renverse paradoxalement les données de l'histoire dans la comparaison concernée : ce sont les Juifs qui sont venus en Palestine pour y créer l'État d'Israël, tandis que les musulmans, issus dans leur immense majorité de l'immigration, sont arrivés en France depuis le sud et l'est de la Méditerranée pour la plupart. Mais l'impiété supposée de la société française en fait légitimement une terre de conquête dont les habitants, sauf à se convertir à l'islam, seront massacrés, comme le sont les *kuffar* yézidis dans les territoires razziés par le « califat » en Irak.

Ce projet politique et apocalyptique se nourrit d'un vocabulaire religieux articulé autour du dogme salafiste-djihadiste que les oulémas de Daech élaborent en permanence. On peut le constater à travers les manuels juridiques qu'ils mettent en ligne pour justifier tous leurs agissements au nom de la charia, ou dans les articles publiés par les revues *Dabiq* ou *Dar al-islam* explicitant tel point de droit islamique, comme l'obligation pour les femmes d'accepter la polygamie. Mais cette théologie politique est fondée sur un double soubassement social et psychique. La vision kaléidoscopique de la société française qui ressort de l'infographie de Rachid Kassim débouche sur le massacre généralisé de la classe moyenne « blanche » salariée, depuis les fonctionnaires jusqu'aux élus en passant par les enseignants et les journalistes.

Les artisans de cette extermination, exaltés comme autant de héros et de martyrs rétribués par le paradis (ainsi que leurs victimes collatérales musulmanes), sont pour la plupart emblématiques du néoprolétariat issu de l'immigration, semi-éduqué et avec un bagage culturel approximatif débouchant sur des emplois précaires et peu qualifiés, des frères Kouachi ou d'Amedy Coulibaly à Adel Kermiche et Abdel-Malik Petitjean. S'y adjoignent, notamment pour les recrues féminines, un certain nombre de convertis, venus généralement des franges inférieures de la classe moyenne en déclin, fragilisées par des situations familiales difficiles, comme l'indique l'absence fréquente du père ou de la figure paternelle parmi les proches de ceux qui sont partis en Syrie. D'un côté, l'idéologie prégnante et totalitaire du salafisme-djihadisme vient compenser les enseignements relativistes et discrédités professés par l'Éducation nationale dans les quartiers populaires. Elle crée l'illusion d'un savoir supérieur et d'une vision du monde procédant directement — par smartphone interposé — de la parole divine et des injonctions des Écritures saintes. D'un autre côté, la disqualification ou la disparition du père censé incarner et transmettre la loi de l'État au point de jonction entre société civile et famille est comblée par le groupe djihadiste des pairs structuré en secte. Ceux-ci, qu'ils soient réels, virtuels ou numériques, énoncent une Loi d'autant plus contraignante qu'elle se proclame sacrée, « insupérable » (*Ma'soum*), transcendantale et universelle.

Ce soubassement psychique du fantasme djihadiste supporte une vision spécifique des relations entre les sexes. On a vu comment la représentation hallucinée de la classe moyenne française à exterminer, dans l'infographie de Rachid Kassim, procède d'une homophobie délirante qui fait du « réseau pédocriminel de l'Élysée » la clé de voûte de la « mécréance » anathématisée. Mise en œuvre par Daech aussi bien lors des exécutions publiques d'homosexuels dans le « califat » que lors de la tuerie du club gay d'Orlando le 12 juin 2016, elle fait fond sur une hostilité plus diffuse qui s'est exprimée par l'opposition de nombre de musulmans de France au mariage pour tous, traduite en sanction dans les urnes contre François Hollande et le parti socialiste.

Cela se transpose dans la question féminine en termes d'« honneur » (*'achouma*, en arabe maghrébin, *'ib*, en langue classique) lorsque « L'Oranais-Roannais » apostrophe ses coreligionnaires français pour qu'ils passent au djihad et leur « met la honte » en ces termes : « Pourquoi attendez-vous autant, au point que des femmes vous ont dépassés dans l'honneur ? » Un tel reproche n'est pas sans rappeler la teneur des vidéos diffusées par Daech après le 13 novembre, faisant grief aux musulmans de France de collaborer encore et toujours avec les « mécréants » au lieu de suivre l'exemple de la tuerie du Bataclan et de les exterminer. On l'a noté précédemment, malgré l'ampleur du massacre, la mobilisation des masses musulmanes sous la bannière noire de l'État islamique n'a pas été à la hauteur des attentes de ces boutefeux.

Au-delà de l'inefficacité avérée d'Inès Madani et des autres membres du commando présumé, le recours à des femmes pour commettre des attentats apparaît comme une déviance au regard des codes moraux et « genrés » d'un salafisme-djihadisme où les rôles sont strictement définis et prohibent la participation — impudique — du sexe « faible » au combat, sauf en des cas très circonscrits. Quoi qu'en disent les apôtres d'un « féminisme djihadiste », pareille action — d'autant plus si elle s'avère un échec complet — aura du mal à se voir entérinée consensuellement par les oulémas de Daech. Dès les arrestations, la polémique fait rage sur la djihadosphère francophone entre partisans et adversaires de l'engagement des « sœurs » dans les opérations armées, les seconds anathématisant les premiers en s'appuyant sur le corpus salafiste le plus rigoriste. En revanche, la notion d'« honneur » liée aux femmes trouve un écho beaucoup plus vaste autour de la question du voile.

C'est en effet cet enjeu qui est cardinal dans la construction psycho-politique de l'« islamophobie » telle qu'élaborée par le CCIF et ses compagnons de route de la mouvance islamo-gauchiste afin de créer une communauté musulmane définie par la victimisation, de s'en proclamer le porte-parole hégémonique et d'en prendre la direction. Les affaires du burkini qui ont émaillé l'été dès après le massacre de Nice ont eu pour fonction, dans leur instrumentalisation par le CCIF, d'occulter le terrorisme et d'inverser la charge de la culpabilité, dépossédant ainsi la France du statut de victime pour en faire le bourreau. Marwan Muhammad, dans son discours programmatique du 28 août à la mosquée de Tremblay-en-France, vitupère la « police de la honte » qui, sur la Côte d'Azur, a été incapable de déceler un camion, mais traque les femmes voilées sur les plages. C'est le sens de l'exploitation médiatique des images de policiers armés en uniforme semblant contraindre des musulmanes à se déshabiller en public et assurées de ce fait d'un grand retentissement international hostile à la France.

Ainsi se conjuguent plusieurs impacts pour creuser la fracture de la société française voulue par les entrepreneurs aussi bien communautaires qu'identitaires afin d'en retirer les dividendes. D'un côté, la violence récurrente du terrorisme djihadiste s'efforce de susciter la réaction de la population contre les musulmans dans leur ensemble, tandis que la mobilisation contre l'« islamophobie » se prépare à dresser les remparts d'une communauté victimisée. D'un autre côté, des politiciens de toutes tendances s'emploient à jouer de cette faille. Les uns cherchent à additionner des votes segmentés, perdant ainsi de vue l'intérêt de la nation pour satisfaire des clientèles. Les autres montrent du doigt les immigrés ou l'« islam » de manière à cristalliser un clivage à base ethno-religieuse qu'ils perçoivent également comme un réservoir de suffrages.

Or cette fracture menace aujourd'hui notre société

jusque dans son tréfonds. Alors que commence le grand débat qui engagera en 2017 et pour un quinquennat l'avenir de la France, confrontée comme rarement dans son histoire à des crises sociales et culturelles très profondes, on attend la vision politique qui saura résister à la tentation de la fracture. Dût-elle se propager, elle ne se refermerait sans doute plus, mettant la patrie en danger.

ANNEXES

ANNEXES

REMERCIEMENTS

Il m'est agréable pour achever ce texte de remercier Olivier Poivre d'Arvor, qui a pris l'initiative, en juin 2015, alors qu'il dirigeait France Culture, de me proposer cette collaboration lors d'un dîner au « Marathon des mots », à Toulouse. Sandrine Treiner, qui lui a succédé dans cette fonction, a accompagné la mise en ondes et accueilli avec bienveillance le projet de cet ouvrage, coédité par France Culture. Mes interlocutrices du dimanche après-midi, Olivia Gesbert et Mathilde Wagman, puis Guillaume Erner le mercredi matin ont toujours su réagir à mes propos avec pertinence pour incarner l'esprit (du) public...

Mes remerciements vont enfin à mon éditeur aux Éditions Gallimard, Olivier Salvatori, pour m'avoir convaincu de rassembler les tesselles de cette mosaïque afin de recomposer la perspective d'ensemble, proche comme globale, des épreuves terribles que traverse notre pays et de rechercher les moyens d'en éradiquer les causes. Le mérite de ce livre lui revient ; j'en assume pour ma part tous les défauts.

SIGLES ET ACRONYMES

AKP (parti de la justice et du développement — Turquie)

Anru (Agence nationale pour la rénovation urbaine)

Aqmi (al-Qaida au Maghreb islamique)

CCG (Conseil de coopération du Golfe)

CCIF (Collectif contre l'islamophobie en France)

CFCM (Conseil français du culte musulman)

CIA (Central Intelligence Agency)

EI (État islamique)

FBI (Federal Bureau of Investigation)

FIS (Front islamique du salut — Algérie)

FN (Front national)

GIA (Groupe islamique armé — Algérie)

HDP (parti démocratique des peuples — Turquie)

HEC (École des hautes études commerciales)

HLM (habitation à loyer modéré)

Ifop (Institut français d'opinion publique)

JDD (*Journal du dimanche*)

LCP (La Chaîne parlementaire)

LGBT (Lesbiennes, gays, bi et trans de France)

MHP (parti d'action nationaliste — Turquie)

MRE (Marocains résidant à l'étranger)

ONU (Organisation des Nations unies)

OSCE (Organisation pour la sécurité et la coopération en Europe)

Otan (Organisation du traité de l'Atlantique Nord)

PCF (parti communiste français)

PKK (parti des travailleurs du Kurdistan — Turquie)

PYD (parti de l'union démocratique — Syrie)

UE (Union européenne)

UOIF (Union des organisations islamiques de France)

ZEP (zone d'éducation prioritaire)

INDEX DES NOMS

ÉPILOGUE

ANNEXES